Geld wat stom is

TINUS VIVIERS

Tafelberg

© 2009 Tinus Viviers
Tafelberg
'n druknaam van NB-Uitgewers
Omslagontwerp deur Mike en Stefni Cruywagen
Geset in 11 op 14.5 pt Melior
Gedruk en gebind deur CTP Boekdrukkers
Kaapstad, Suid-Afrika

Eerste uitgawe, eerste druk 2009

ISBN: 978-0-624-04726-1

1

In die banketsaal van die Park Hyatt-hotel kry die voorsitter dadelik die aandag van haar gehoor: "Môre dames, welkom by ons kwartaallikse sake-ontbyt." John sien hoe haar oë oor die mense beweeg. Hy skat daar is maklik tweehonderd dames. "Ons spreker vandag is John Lombard, eienaar van die bekende personeelagentskap Lombards Personnel." Sy kyk direk vir hom en glimlag. "Ná 'n roekelose jong lewe het hy die afgelope vyf jaar naam gemaak. Hy het sy terugslae in die lewe verwerk en bo uitgekom. Hy is een en dertig en ongetroud." Weer glimlag sy. "Dié van julle wat hou van 'n man wat sy eie vispap maak, kan sy telefoonnommer vir my kom vra." Sy wink hom na vore. "John Lombard."

John lig sy bykans twee meter lange lyf uit sy stoel. Terwyl hy tussen die ronde tafels met hul liggeel tafeldoeke deurstap na die podium wonder hy hoeveel sy van hom weet. Die frons op sy voorkop verdiep. Hy sou wat wou gee om te weet of sy kennis dra van die gebeure tien jaar gelede. Hy kyk vir haar en begin praat.

"Dankie dat julle my genooi het. Ek wil graag . . ."

Die sydeur gaan krakerig oop en 'n paar laatkommers

kom binne. John se skouers verstyf. Hy sien weer die beeld van flitsende blou ligte en 'n polisieman wat nadergestap kom voor sy geestesoog. Hoewel hy slegs 'n paar woorde gesê het, voel dit of sy tong aan sy verhemelte vasgeplak is. Hy hoop dat hy dit regkry om die skok en verbasing van sy gesig af te hou; die linkerkantste vrou kan net Sanet wees. Hy het haar tien jaar laas gesien.

Hy soek na woorde om haar te skok, maar besef hy sal die draad van sy praatjie verloor, besluit om dit gemoedelik te hou en praat verder. ". . . vir Sanet sê ek is bly om te sien sy is nog altyd dieselfde. Sy kon nog nooit 'n geleentheid om laat te kom, laat verbyglip nie."

Onder die gelag wat volg, kry hy kans om tot verhaal te kom. Dit was 'n fout om haar naam te noem. 'n Blondine-grap sou minder aandag getrek het. Hy vroetel aan sy notas, haal twee keer diep asem en gaan voort.

Gedurende sy praatjie kyk hy af en toe in haar rigting. Hy wou lankal weet wat van haar geword het. Tydens vraetyd sien hy haar blondekop en ligblou baadjie. Sy sit met haar rug na hom toe en kyk nie vir hom nie. Hy hoop hy gaan die geleentheid kry om met haar te praat. Daar is soveel wat hy wil weet.

Nadat hy klaar is, staan die voorsitter op, bedank hom en voeg spottenderwys by: "Wie sou nou kon droom dat John een van sy ou flames hier tussen ons sou raaksien?"

Spontane gelag volg saam met die handeklap. John lag ook en hoop dat dit net Sanet is wat sal weet dat die opmerking 'n kolskoot was. Hy wonder hoe sy gereageer het. Terwyl hy spek en eiers by een van die lang tafels aan die kant van die banketsaal inskep, loer hy weer in haar rigting. Sy is nie meer daar nie. John kyk die saal deur sonder sukses. Sy het verdwyn – net so skielik as wat sy daar ingestap het. Dít wou hy nie gehad het nie.

Terug op kantoor en klaar met die derde onderhoud met werksoekers, kom hy agter dat hy nie konsentreer op wat hy doen nie. Hy kan nie eers die laaste persoon se voornaam onthou nie. Sy gedagtes is by Sanet. Hoe is dit moontlik dat 'n mens net kan wegraak? So weg dat die polisie haar in tien jaar nie kon kry nie?

John maak sy elektroniese dagboek oop. Hy het nog net een afspraak en daarna is hy vry. Hy roep die sekretaresse oor die interkom.

"Skakel asseblief vir Phil Engelbrecht en vra hom om my halfvyf by die Country Club in Auckland Park te kry."

Hy is seker die prokureursvriend wat hom al by menige geleenthede van goeie raad voorsien het, sal hom weer kan help.

Laatmiddag parkeer John sy Mercedes C180 onder een van die groot bome by die klub. Op sy gewone sitplek in die opelugkroeg maak hy 'n lêer oop en begin daarin blaai. Een van die kelners wat in die skaduwee van die groot eikeboom gestaan het, kom nader.

"The usual, Mister Lombard?"

John kyk gesteurd op en druk die koerantuitknipsel in die lêer met sy hand vas sodat dit nie deur die wind weggewaai word nie.

"Thanks, David. Please be on the look out for a stranger. I am expecting a guest."

"Certainly," antwoord die kelner. Hy tel John se vergeelde lêer op en vee die tafel se kleedjie met 'n klam lap skoon voordat hy die lêer weer neersit. John blaai doelloos verder.

Die boeie knyp sy geswelde polse toe hy die ondervragingskamer ingestamp word. Op die tafel staan 'n blink

7

trommeltjie wat lyk soos die een waarin sy oupa se toe-broodjies was as hy beeste gaan kyk het.

"Ken jy hierdie ding?"

"Nee."

"Dan fokken lieg jy ook nog!"

"Ek lieg nie."

"Kak, man, jy moet dit ken. Dit kom onder jou bed uit."
John skud sy kop.

"Natuurlik sal jy maak of jy dit nie ken nie." Die speur-der maak die trommel oop. "Kyk hier."

John voel die stamp tussen sy blaaie en stap tot by die tafel. Groen tienrandnote. Hy fluit. "Shit, ek wens dit was myne; ek is reeds broke."

"Jy kan maar wens tot jy 'n fokken horing kry. Hierdie geld sal nooit joune wees nie."

"As julle so seker is dis nie myne nie, wat is die issue?"

"Cocky, nè!" Die speurder klap hom met die agterkant van sy hand deur die gesig en gluur vir hom. "Oukei, slim-kop. As dit nie joune is nie, wie s'n anders kan dit wees?"

"Dis net ek en Sanet wat in die flat gebly het, maar ek het dit nog nooit gesien nie."

"Hoor jy?" Die speurder kyk vir een van die ander. "Hy't 'n flatmate en hy weet nie eers of dit hare is nie." Hy kyk weer vir John. "Jy sê dis net julle twee wat daar bly. As dit nie hare is nie, is dit joune."

"As jy glo dis myne, hoekom vergelyk jy nie die finger-prints nie? Ek weet myne kan nie daarop wees nie."

Die speurder klap hom weer. "Slimgat!"

Hulle het hom ure lank ondervra. Drie dae later het hulle hom vir die eerste keer toegelaat om 'n prokureur te sien. Soms het hulle die ondervragingsessies onderbreek en hom so lank as 'n week uitgelos. Elke keer was dit bykans dieselfde vrae.

"Sy het by SBV gewerk. Het sy vooraf geweet watter banke kry kontant en vir jou tips gegee?"

"Waar kruip sy weg?"

"Waar is die ander geld?"

"Hoe is dit moontlik dat jy nooit die trommel gesien het nie?"

Hulle het ook baie ander vrae gestel. Eers toe die vingerafdrukdeskundige se verslag gewys het dat syne nie op die trommel is nie, het hulle hom laat gaan. Dat sy pa geglo het hy wel betrokke was, het hom die meeste gepla.

"En as jy so diep sit en dink?" bring Phil se stem hom terug werklikheid toe.

"Baie dinge, pel, baie dinge. Sit, dan vertel ek jou."

John bestel drankies en vertel dat hy vir Sanet gesien het. Dat hy nou meer as ooit glo dit was sy wat destyds die trommel onder sy bed gesit het en dat hy voel dis tyd om tien jaar gelede se feite te laat uitkom.

"Fok pel, ek was platgeslaan. Moer toe. Ek het my gat af gesukkel om weer werk te kry. Almal het geglo ek was betrokke en het weggekom omdat daar nie genoeg getuienis was nie. Tot my pa. Hy wou my nie help nie en het drie jaar lank nie met my gepraat nie. Hy het selfs gesê hy gaan die familieplaas aan my neef bemaak. Ek kan haar mos nie nóú laat wegkom nie?"

"Ek weet nie, John." Phil roer die ys in sy glas met sy wysvinger en lek dit af. "Die polisie kon haar destyds nie kry nie en het die saak gesluit omdat hulle niks teen enigiemand kon bewys nie. Die enigste persoon wat hulle wel met die roof kon verbind, was die ou wat in die bank doodgeskiet is." Hy proe aan sy drankie. "Hulle het deesdae soveel werk dat ek nie glo hulle sal die saak heropen nie."

"Ek voel vere vir wat hulle gaan doen. Fokkol. Ek gaan dit nie daar los nie. Al is dit die heel fokken laaste ding wat ek doen, ek sal haar kry. Shit, ek kry sommer 'n PI om die job te doen."

"Weet jy wat dít jou gaan kos?"

"De moer met die geld. Dis nie jou naam wat deur die modder gesleep is nie!"

"Ag nee, John, dink voor jy doen. Jy is suksesvol, ek is seker niemand onthou daarvan nie."

"Verkeerd. My pa onthou nog. En ek. En jy. Fok!"

Phil trek sy skouers op. "Ek dink nog jy maak 'n fout. As ek jy was, sou ek dit los. Dink net aan die skade wat dit jou firma kan aandoen as alles weer oopgekrap word in die pers."

"Skade se gat! Dit sal die waarheid laat uitkom."

"Wel, dis jou besluit."

"Uhm. Ken jy dalk 'n goeie PI?"

"Die ou wat ons opsporings hanteer is Willem Lotriet. 'n Bietjie onortodoks, maar resultate tel die meeste."

"Wat kan jy my nog van hom vertel?"

"Sy bynaam in die polisiemag was Willem Vasbyt. Hy het uiteindelik bedank omdat hy gevoel het Affirmative Action vat jongmense soos hy se bevorderingsgeleenthede weg, sy eie besigheid begin en aanvanklik gespesialiseer daarin om ontroue gades dop te hou. Gaandeweg het hy ook begin opsporings doen. Die feit dat hy nie ook daardie ek-sal-dit-môre-doen-houding het nie, weerspieël dat hy speurwerk as 'n roeping sien. Op die oomblik word hy gereken as die beste opspoorder aan die Rand."

"Klink goed. Ken jy sy nommer uit jou kop?"

"Ja. En dis maklik om te onthou. 083lotriet."

John kyk verward op. "Ek volg nie?"

"Maklik, man. 083 en die nommers onder Lotriet."

John stoor dit op sy selfoon en skakel dadelik.

Net buite Carolina kyk Willem Lotriet na die veranderende landskap. Dis vir hom duidelik dat die Hoëveld so te sê agter hom lê en dat hy binnekort teen die eskarpement gaan begin afsak op pad Badplaas toe. Hy antwoord sy selfoon in die ry.

"Lotriet Speurdiens."

"Meneer Lotriet. John Lombard van Lombard's Personnel. Ek het jou naam by Phil Engelbrecht gekry. Waar en wanneer kan ek jou sien?" kom die vraag uit sy motorradio se luidspreker.

Willem fokus sy aandag op die skerp draai in die pad voor hom.

"Meneer Lombard, ek sal na jou toe kom. Ek weet waar jou kantore is. Maar dit sal na die langnaweek moet wees. Ek is nie op die oomblik in die stad nie."

"Kan ons dit Woensdagoggend tienuur maak?"

"Seker," antwoord Willem. "In verband waarmee is dit? Ek sal graag voorbereid by jou wil aankom."

"Ek wil hê jy moet iemand vir my opspoor en sal vir jou besonderhede gee wanneer ons mekaar sien."

"Ek sal daar wees," antwoord Willem, groet en druk sy selfoon dood.

Phil Engelbrecht. Interessant, dink hy. Dis die een prokureur in die stad wat met meer skelms as goeie kliënte deurmekaar is. Die landskap verander nou vinnig. Regs van die pad flits 'n bordjie met "Sappi, Rooihoogte-plantasie" daarop by Willem verby. Aan die linkerkant kronkel die vallei voor hom. Die naam John Lombard is slegs as gesiene personeelagent aan hom bekend. As hy 'n rekord het, moet dit lank terug wees. Willem probeer 'n nommer skakel, maar kry nie opvangs nie. Onder in die vallei sien hy die plantasie nou hoog teen die berg aan die linkerkant sit. Amazing, dat so baie hout vir bouwerk en papier gebruik word, dink hy. En hierdie is maar 'n klein deel van die aangeplante bome in die land. Ook die groener landskap ontglip nie sy oog nie en laat hom wonder hoeveel vroeër die reënseisoen daar begin.

By die ontspanningsoord se toonbank rus Willem sy bruingebrande voorarms op die toonbank toe hy die vorm onderteken. Hy kry sy sleutel, ry chalet toe en pak af. Klaar uitgepak gaan sit hy buite in die skaduwee op een van die plastiekstoele. Haal sy selfoon uit en skakel Phil Engelbrecht se nommer.

"Engelbrecht," hoor hy die bekende stem antwoord.

"Haai, Phil. Willem Lotriet. Ek het 'n oproep van John Lombard gehad. Wat kan jy my van hom vertel?"

Sonder om Phil enigsins in die rede te val, luister Willem met aandag en memoriseer elke naam en feit wat genoem word.

"Phil, ek is stunned," sê hy toe Phil klaar gepraat het. "As hierdie een die grote is waaroor ek al so lank droom, doen ek jou volgende opsporing teen 'n spesiale tarief."

Nadat hy afgelui het, skakel hy dadelik vir Ephraim, sy eertydse assistent met wie hy nog op 'n gereelde basis kontak het.

"Ephraim, ek het hulp nodig."

"Dag, luitenant. Wat kan ek vir jou doen?"

"Ek soek dringend inligting."

Hy hoor Ephraim se sug en praat dadelik weer: "Ek weet dis langnaweek. Dinsdag twaalfuur sal oukei wees."

"Dis reg so, luitenant. Ek gaan in elk geval nie weg nie. Sodra ek dit het e-mail ek dit vir jou."

Willem glimlag. Steeds soos hy hom onthou: hulpvaardig, bereidwillig en respekteer selfs 'n rang wat nie meer bestaan nie. Dis die eerste persoon wat hy sal aanstel as sy besigheid begin uitbrei.

2

Willem se tekkies knars op die teer. Hy hoor sy asemhaling harder word en meet die bult met sy oë. Dis nog vyfhonderd meter tot bo, skat hy. "Vasbyt, lekker nou, vasbyt, lekker nou," spoor hy homself aan en sit meer krag in die vorentoe en agtertoe swaai van sy arms. Bo aangekom, kyk hy op sy horlosie. Teen hierdie pas gaan hy vyf sekondes van 'n week gelede se tyd afsny. Dit kom nader aan dit waaraan hy gewoond was, maar is nie goed genoeg na sy sin nie. Hy het laat slaplê. Teen die afdraand voel hy sy hakke hard stamp op die teer. Hy versnel sy pas. Die laaste tweehonderd meter hardloop hy voluit. By die hek stop hy die horlosie en begin stap. Hy is tevrede om te sien dat hy beter gedoen het, gaan staan en haal diep asem. Daar is 'n donker sweetvlek op die rugkant van sy ligblou T-hemp wat nou los oor sy hardloopbroek hang.

Hy sien die swartkop aangedraf kom en herken haar as een van die twee meisies wat die vorige aand by die chalet langs syne afgepak het.

"Môre," groet hy en sit sy beste glimlag op.

Sy wuif en draf verby. Al hygende kyk hy om. Nie 'n slegte lyf nie. Willem stap aan. By die chalet langs syne

13

gaan hy staan om die Mazda se nommerplaat te bekyk. Hy kry lag vir homself toe hy dit memoriseer. Het hy dit só in homself ingedril dat hy elke mens wat bestaan se adres wil nagaan? Dis geen wonder dat Helen gesê het hy sien 'n skelm agter elke bos nie. Hy sal moet afskakel. Hierdie langnaweek is sy eerste aftyd in vier jaar – en dit met twee meisies in die chalet reg langs hom. Hy hoop hy sien die bruinkop by die swembad, maar sonder die jeans. Wat 'n lyf!

Die son het reeds 'n derde van sy baan deur die wolklose Septemberlug voltooi toe Anja en Rentia hulle handdoeke op die grasperk langs die swembad oopgooi. Anja maak haar radio staan en skakel dit aan terwyl Rentia winkel toe draf vir sonbrandmiddel. Anja vee 'n slag deur haar swart krulkop en gaan lê met 'n tydskrif in die hand.

"Antjie," sê Rentia toe sy terugkom, "sal jy omgee as ek die stasie verander?"

Anja lig die tydskrif van haar gesig af op. "Ek glo dit nie! Van wanneer af vra jy?" Sy rek haarself uit en kom traag orent. "In elk geval, wat is verkeerd met die musiek? En moenie vir my Antjie sê nie, jy weet ek haat dit."

Rentia lag. "Goed, dokter. Ek het net gedink, met die radio wat sulke swaar classic speel, gaan ons hope mans rondom ons sien."

Anja skud haar swart krulkop heen en weer. Sy weet sy sal moet toegee. Miskien sal dit Rentia se sarkasme laat bedaar.

"Jaaa toe, verander dit. Ek moes geweet het jy kom saam om 'n man te soek. Kan jy regtig aan niks anders dink nie?"

Rentia maak of sy nie Anja se opmerkings gehoor het nie, skakel dit oor na 5FM en stel die klank harder.

"Kom ons gaan swem."

Sy spring op, draf weg en duik in.

Dêm cheek, dink Anja, stel my radio in op 'n blêrstasie en hol weg sonder om self daarna te luister. Met 'n vies uitdrukking op haar gesig skakel sy die radio af en volg Rentia swembad toe.

Ná 'n lang dag in die warm son sit Anja op die chalet se stoep. Die skadu's rek reeds lank toe Rentia langs haar praat.

"Het jy vroeër vandag die dish hier langsaan se fris sonbruin bene en six pack by die swembad gesien?"

"Jy sal nie van hom hou nie," giggel Anja, "hy's 'n draw-wer."

"Hoe weet jy dit nogal?"

"Ek het hom vanoggend langs die pad gekry."

"Oh no, daar gaan my luck. Jy't hom seker net daar met daai sexy shorts van jou getoor."

"Nee wat, mans is nie op die oomblik my prioriteit nie," lieg Anja. Sy besef dat Rentia die een of ander tyd gaan uitvind van die man wat nou in haar lewe is. Sy het die fors geboude John Lombard by 'n operauitvoering ontmoet. Hy laat haar aan 'n rugbyspeler dink. Haar broer sou dadelik wou weet watter posisie hy speel en geraai het dis slot. Sy weet John hou van haar, maar wil nie hê Rentia moet dit nou al weet nie. Sy wil eers seker wees van haar eie gevoel voor sy van hom vertel.

"Wel, as jy hom nie wil hê nie, watch my. Ek belowe jou vanaand gaan hy ons tjops braai."

Anja bekyk Rentia van kop tot tone. "Jy sal jouself eers moet gaan opdollie voor jy dit sal regkry."

"Nooit! Ek ken sulke ouens. Hulle soek daai natural, onskuldige look."

Rentia staan op, sny die pak houtskool oop en gooi daarvan in die braaier uit.

"Jy het die Blitz vergeet."

"Ek weet, stupid."

"Hahaha. Jy gaan weer 'n gat van jouself maak."

"Nie maklik nie. As ek wil stupid lyk, sal ek my hare kleur."

Die kole in sy braairooster is nog pikswart aan die buitekant van die hoop, maar binne glim dit reeds rooi. Nog twintig minute, dink hy en sit die motortydskrif neer. Dis jammer Schumacher het uitgetree. Hy sou hom graag nog een keer op Silverstone wou sien jaag.

Willem onthou die kuier by Helen in Londen. Twee dae voor die wedren het sy vir hom 'n kaartjie in die hand gestop. Dit het selfs toegang tot die kuipe verleen. Hy kon sy geluk nie glo toe Schummie uit die rooi Ferrari klim en handtekeninge aan die omstanders begin uitdeel nie. Daardie aand het hy vir Helen uitgeneem. Hulle het die helfte van die geld wat hy oor gehad het in die English Pub uitgekuier. Hy tel sy glas op, sluk van die donkerkleurige vloeistof en rol dit in sy mond. Helen. Hoekom sy drie maande gelede godsverdomp weer terug is Londen toe, sal net sy weet. Miskien sou sy gebly het as hy haar gevra het om te trou, maar op dertig voel hy nog nie lus vir die verantwoordelikhede van 'n huwelik nie. Hy neem nog 'n sluk uit die lang glas wat vol druppels aan die buitekant is. Hy sal wragtag nie weer kruip nie. Willem verruil sy glas vir die tydskrif en lees verder.

"Kan ek jou lighter leen?"

Hy loer oor die rand van sy tydskrif. Een van langsaan se meisies staan voor hom. Nie die een wat gedraf het nie, die ander een. Sy het 'n bikinitop en 'n kortbroek aan.

"Willem," sê hy terwyl hy die vuurhoutjies van die tafel af optel. Sy oë soek na die sigaret wat hy waarskynlik moet aansteek. Hoewel hy nie een kan sien nie, trek hy 'n vuurhoutjie en hou dit vir haar.

"Rentia," antwoord sy. "Dankie, maar ek rook nie. Ek wil net gou ons vuur aansteek en het vergeet om vuurhoutjies te bring."

"No problem. Ek doen dit gou vir jou." Maar hy verander vinnig van plan. Hy hou sy hand op en draai sy oë in die rigting van sy braairooster. "Wag. As julle nou eers vuur aansteek, is dit nog 'n uur voor dit reg is." Hy glimlag vir Rentia. "Be my guest. My kole is amper reg. Hier's brandy, Coke en hope ys."

Sy oë fokus op die geel omboorsel van haar broek se pype terwyl sy wegstap. Voor sy om die hoek is, roep hy agter haar aan: "Bring sommer 'n omdraaitang ook saam."

Sy het dit toe gedoen. Nog voor hulle klaar geëet het, weet Willem dat hy die naweek meer van die meisies wil sien. Toe die twee hom boonop saamnooi om weer te gaan lyf natmaak, neem hy die uitnodiging gretig aan.

Teen agtuur hang Willem sy nat swembroek oor een van die plastiekstoele op sy chalet se stoep. Hy het die rustigheid van Badplaas se onderdakswembad saam met die twee meisies geniet. Sy pa was reg. Hy het altyd gesê dat teenoorgesteldes mekaar aanvul. Rentia se opmerking dat sy presies weet hoe 'n man se kop werk, het Anja laat lag. Hy kon homself breek toe sy ewe droog antwoord dat Rentia haar "frenzy" sal moet beheer. Dat sy Nietzsche gelees het, verbaas hom nie. Soos hy, werk 'n dokter ook met mense. Maar het sy daarmee bedoel vuur of drif? Met dié dat hy en Rentia nou op pad is kroeg toe, hoop hy Anja het dríf bedoel. Hy stap om die hoek en klop.

Rentia maak vir hom die deur oop. "Ek is reg, ons kan maar gaan."

17

Smashing, dink Willem toe hy haar lang bene onder die kort somersrok sien uitsteek. Hoekom sy hulle op pad swembad toe onder 'n sarong weggesteek het, sal net sy weet.

"Gaan jy nie saam kroeg toe nie?" vra hy toe Anja bly sit.

"Gaan julle twee, my naam is nie Skoppensboer nie," antwoord sy en glimlag skalks in Rentia se rigting. "Ek sal die James Bond-fliek op TV kyk. Vanaand is dit ek en my gunsteling-akteur."

Die verwysing na Skoppensboer verklaar in 'n mate haar weird musieksmaak, maar haar fliekkeuse is ten minste goed, dink Willem.

Laataand, op pad terug chalet toe, trek Rentia nie haar hand weg toe hy dit vat nie. Sy sal weer met hom uitgaan as hy haar vra. Hy het nooit gehuiwer voor hy op 'n vraag geantwoord het nie en ook nie probeer slim klink nie. Sy het dit ook waardeer dat hy haar toegelaat het om vir die loopdop te betaal.

"Wanneer laas het 'n man vir jou gesê jy lyk mooi?" vra hy sag.

Rentia stop toe hy haar terughou en pruil haar mond asof sy dink. "As ek reg onthou oomblikke gelede."

Sy laat haar mond onder syne oopgaan. Haar rug trek hol onder sy hande, maar sy stoot hom weg toe sy hande op haar boude land.

"Stadig, die naweek is nog lank," hyg sy. "Mens eet nie die poeding voor jy die hoofgereg gehad het nie."

"Exactly. Maar ek kan doen met nog 'n appetiser."

Dis bewolk, maar drukkend die Sondagoggend. Anja sit vooroor gebuk op die stoep. Haar potlood maak sagte geluide op die sketsboek se papier. Langs haar staan 'n

18

beker koffie waaruit sy af en toe 'n slukkie vat. John se gesig begin vorm aanneem op die papier. Sy kyk nie dikwels op nie, maar wanneer sy dit wel doen, krap sy met die potlood tussen die swart krulle agter haar oor. Presies waar sit die litteken? Sy weet sy moes beter opgelet het, maar sy was bang hy kom agter sy kyk daarna.

Sy hoor naderende voetstappe, sien dis Willem. "Jy's te vroeg. Sy slaap vreeslik laat op 'n Sondag. Koffie?"

"Thanks."

Willem trek 'n stoel uit en gaan sit. Sy asem wil wegslaan toe sy opstaan; sy't tipiese hardloperbene. Hy kyk na die skets; staar af en toe openlik na haar figuur. Hy kyk skuldig weg toe sy terugkom met die koffiebekers.

"Dankie."

Anja sien hom na die tekening kyk.

"Sit net so." Sy blaai om.

Oor die rand van die koffiebeker hou hy haar dop terwyl sy omblaai en met verskillende potlode lyne trek.

"Amazing," sê hy toe sy die boek in sy rigting draai, "maar ek sou verkies het dat jy die neus so 'n bietjie kleiner teken."

Anja lag en maak die boek toe. "Nee, dis soos ek jou nou sien en sal onthou."

"Moet ek aanneem jy teken alles wat jy nie wil vergeet nie?"

"Nie noodwendig nie. Iemand het vir my gesê dat niemand vergeet wil voel nie. Hy't gesê elkeen wil onthou word. Anders voel jy alleen. Wanneer jy dink dat niemand jou sal onthou nie, dan voel jy werklik alleen."

"Uhm. Jy's reg, maar soms wonder ek of ander mense nie ook dikwels wíl vergeet, maar nie kan nie. En sommige mense wil juis vergeet word. Soos díe wat nalaat om huurkooppaaiemente te betaal en vir die bank probeer wegkruip."

So, dis hoekom hy alleen hier is, hy probeer vergeet. Getroud of nie, dit kan net 'n vrou wees, besluit Anja en vra: "Raak jy ook meer toegeeflik teenoor mense wat jy wil vergeet, versag jy net die negatiewe daaraan verbonde en probeer met hulle in jou gedagtes saamleef?"

"Nou klink jy na 'n kopdokter. Sulke negatiewe goed laat my eensaam voel. Kom ons praat liewer oor die mense wat ons wil onthou en dié wat ons wil hê ons moet onthou."

"As jy wil filosofeer, praat maar. Ek is 'n goeie luisteraar."

Willem kry lus om te lag. Hy is al baie dinge genoem, maar nog nooit 'n filosoof nie. Hy hou nie van die rigting waarin die gesprek gaan nie.

"Ek dink ons moet eerder gaan swem." Hy beduie met sy kop na die chalet se deur. "Ek sal haar gou uitgooi."

Met sy hand op die deurknip hoop Willem Rentia gaan nie te hewig reageer nie. Hy stoot die deur oop. Die klere wat sy die vorige aand aangehad het, lê op 'n hopie langs haar bed.

Met sy lippe enkele sentimeters bo Rentia s'n, vryf hy deur haar hare. Voor sy kan gil, laat hy sy kop verder sak.

3

Dis Dinsdagoggend, die langnaweek is verby. Neville Stemmet blaai deur 'n tydskrif. Hoekom die internis hom nog 'n keer wil sien, weet hy nie. Hy sit die tydskrif neer en kyk op sy horlosie. Dis reeds tien minute oor die tyd vir sy afspraak. Hy sug en soek weer deur die ou tydskrifte. Toe hy niks kry waarin hy belangstel nie, staan hy op en stap tot by die toonbank.

"Die dokter sal moet opskud, oor vyf minute loop ek. As die aandelebeurs oor 'n halfuur oopmaak, wil ek terug op kantoor wees."

"Meneer Stemmet, moet asseblief nie loop nie. Dokter het gesê dis dringend, ek moes u tussen twee ander pasiënte indruk."

Neville gaan weer sit. Wat kan so dringend wees? Die EKG was skoon. Die dokter kon mos die bloedtoetse telefonies met hom bespreek het.

Die volgende tien minute voor hy in die spreekkamer sit, voel vir hom soos 'n uur.

"Meneer Stemmet," sê die internis sonder om op te kyk, "nadat die patoloë se verslag gekom het, het ek weer na jou EKG gekyk." Hy draai die lêer om sodat Neville die EKG kan sien en druk met sy pen daarop. "Dis is 'n klein

21

afwyking dié wat op sigself nie te ernstig lyk nie, maar die hoë cholesteroltelling het my weer daarna laat kyk. Dit bekommer my dat dit saamval met die bloeddruk wat hoog is." Hy staan op en wys na 'n slagaar op die skets van 'n hart teen die muur. "Daar is 'n moontlikheid van 'n vernouing in een van die are wat bloed aan die onderkant van die hart voorsien. Ek stel voor dat ons môre 'n angiogram doen. Indien daar 'n vernouing is, sit ek 'n stent in die aar en alles is weer reg."

Dit voel vir Neville of al sy krag uit hom weggaan. Nie nou nie, dink hy, net nie nou nie.

"Dokter, hoe seker is jy? Die volgende drie maande op kantoor gaan kritiek wees. Ek kan nie bekostig om afwesig te wees nie."

"Meneer Stemmet, dis nie vir my wat jy dit moet doen nie. Gun jouself 'n beter kans. As jy 'n hartaanval kry en dit nie maak nie, gaan jy in elk geval nie weer op kantoor wees nie. Dink aan jouself en jou familie."

Goeie bliksem, kan iemand so klinies oor die dood wees? wonder Neville. Hy antwoord dat hy wel vir die angiogram sal kom, maar eers as sy situasie op kantoor verbeter het. Ná 'n sterk vermaning van die dokter belowe hy om die situasie goed dop te hou en kry hy 'n voorskrif om sy bloeddruk en cholesterol te beheer.

"Meneer Stemmet, jy sal ook jou dieet moet aanpas. Vette, veral dierlike vette, moet sover moontlik uitgeskakel word. En rooivleis."

Nog 'n keer voel Neville verstom. Dit gaan moeilik wees, vleis is sy stapelvoedsel. Hoender en vis gaan nie naastenby dieselfde smaak nie.

"Meneer Stemmet, enige skerp sooibrand, of pyn in die bors is tekens wat jy nie moet verontagsaam nie." Die internis wys weer na die skets van die hart. "As daar 'n blokkasie in een van die groot are is, kan 'n hartaanval skielik en fataal wees." Hy wys na die kleiner are. "Soms is mens gelukkig en is die blokkasie in een van hierdie. In so 'n geval is dit minder ernstig en kan jy 'n hartaanval oorleef." Hy gee vir Neville 'n kaartjie met sy noodnommer. "Skakel my enige tyd van die dag of nag en ek kry jou by die Milpark se kardiologiese eenheid, anders sien ons mekaar weer oor drie maande."

"Ek sal seker maar so moet maak," antwoord Neville met 'n sug.

"Meneer Stemmet, bespreek dit met jou vrou. Ek voel tog dat jy my voorstel ernstig moet oorweeg. Soos ek gesê het, hiermee speel mens nie."

Terug in sy kantoor, plak Neville homself neer in sy stoel en trek sy skryfblok met 'n vinnige beweging nader. Hy is jammer dat hy so pas die skoonmaker verskree het, maar sal dit nie vir haar sê nie. Sy het deeglik skoongemaak, maar dat sy alles op sy lessenaar verskuif het, kan hy nie verduur nie. Hy het al hoeveel keer daaroor gepraat. As eienaar van die besigheid is hy geregtig op sekere persoonlike voorkeure, dink hy en vee sy blink voorkop met sy sakdoek skoon.

Sy data-analis, wat die uitbarsting in die gang kon hoor, kom huiwerig binne.

"Het meneer 'n paar minute tyd?" vra hy versigtig.

"Wat is dit, Duart?" vra Neville kortaf en wys vir hom om nader te kom.

"Meneer, ek is nou klaar met die nuwe vooruitskattingsmodel. Ek het die projeksies, wat ek ses maande gelede gemaak het, getoets teen die werklike data." Duart glimlag so breed soos iemand wat pas 'n duisend Microsoft-aandele verniet gekry het en gee 'n stel grafieke vir Neville. "Elkeen was 'n potshot!"

Neville blaai deur die grafieke en lees die opsomming.

"Sê jy hiermee dat as ek 'n pakket van die tien aandele gekoop het, kon ons 'n gemiddelde opbrengs van meer as vyftig persent behaal het?"

"Dis presies wat ek sê, meneer," antwoord Duart opgewonde en leun vorentoe op sy stoel. "Maar kyk bietjie hier!" Hy gee vir Neville nog 'n verslag. "Ek het 'n nuwe stel projeksies gemaak. As dit realiseer, kan meneer die firma se wins in die volgende jaar amper verdubbel."

Neville rek sy skrefiesoë oop en omkring twee aandele se name. Hy weet hy moet Duart prys vir sy goeie werk, maar besluit daarteen. Netnou verwag hy 'n verhoging.

Nadat Duart die kantoor verlaat het, begin Neville somme maak. Selfs met die verhoogde potensiële groei gaan hy nog nie sy doelwit behaal nie. Die twee miljoen rand lyk nog baie ver. Ingedagte trommel hy met sy vingers op die lessenaar se blad. Hy sal met Michelle moet praat. Niemand kan dit bekostig om soveel kontant in 'n kluis te laat lê nie. Hoe sy die geld gebank kry, weet net sy, maar dit gaan te stadig. Miskien sal sy, al is die risiko ook groot, dit vinniger bank as hy haar van Duart se deurbraak vertel.

Hy hoop nie sy vrou vind ooit uit van Michelle nie, veral nie dat sy eintlik die beherende aandeel in die besigheid besit nie. Vandat Michelle hom twee jaar gelede met 'n slenter gevang en gedwing het om met haar saam te werk, bestuur hy hulle gesamentlike onderneming. Sy sorg dat die kontant gebank word en hy spekuleer in aandele met die gewaste kontant.

Hy onthou die dag baie goed toe sy vanuit die niet weer sy lewe ingestap het. Hy het haar nooit in sy kantoor verwag nie, maar die dag wat sy ingestap het, was dit van die begin af duidelik dat sy net een doel voor oë gehad het.

"Waar val jy uit? Ek het nie gedink jy sal ooit weer jou gesig wys nie.

"Ek is nie hier om oor my te praat nie. Ek soek 'n sleutel."

Neville sien die uitdrukking in haar oë en onthou hoe maklik haar humeur opvlam. Sy ronde gesig vertrek in plooie om sy oë en diep fronse op sy voorkop.

"Sleutel?"

"Moenie jou dom hou nie, Neville. Sias se sleutel. Dink bietjie terug. Hy het die spaarsleutel vir jou gegee. Ek weet, ek was by."

"Ja, ja, ek onthou. Maar wat wil jy daarmee maak?"

"Kry wat myne is. Wat anders?" antwoord sy smalend. "Jy onthou seker dat hy op die toneel van 'n mislukte bankroof dood is. Hoe dink jy wat is agter die sleutel se slot? Mmm?"

"Ek het dit nie meer nie."

"Moenie my laat lag nie. Ek ken jou te goed. 'n Sleutel en 'n slot is vir jou 'n groter kleinood as diamante. Toe. Gee dit vir my. Daar is genoeg vir al twee van ons."

"Nee," antwoord Neville kortaf. "Los dit. Dis genoeg dat hy in sy graf is daaroor."

"Miskien moet ek jou vertel hoeveel geld daarin is." Michelle pruil haar mond. "Of nog beter, hoe sal jy daarvan hou as jou vrou uitvind wie Kathy is?"

"Jy, jy kan nie!"

"Try my, Neville. Jou verlede gaan nie tussen my en daardie sleutel staan nie. Dit belowe ek jou. Ek het agt jaar vir hierdie oomblik gewag." Michelle staan op. "Verbrands! Ek is haastig. Kry dit nou! As jy saamwerk, kan jy deel, anders is daar niks."

Kathy se naam is vir haar soos 'n versekeringspolis en daardie "polis" moes nou begin uitbetaal. Hy het wal gegooi. 'n Paar dae later het sy vrou een aand gevra wie Kathy is. Iemand het gebel en gevra om met haar te praat. Toe sy sê dis 'n verkeerde nommer, het die persoon aangedring daarop dat Neville haar ken. Hy het dit afgemaak en sy vrou gerus gestel. Maar die volgende dag het hy Michelle teruggebel. Van toe af domineer sy hom heeltemal. Hy gaan dit nie langer toelaat nie. Hy weet dat hy die houvas wat sy op hom het, moet verbreek, maar hoe?

Hy tik weer met sy vuis op die lessenaarblad. Hulle moet meer geld kry en vinnig. Miskien moet hy probeer om druk op haar te plaas.

Neville skakel sy makelaar en verkoop 'n groot klomp aandele wat onder verwagting presteer en koop van dié in Duart se verslag. Die bedrag van die aankope is omtrent dubbel die waarde van die aandele wat hy verkoop het. Nou is daar nie meer omdraai nie. Oor sewe dae moet hy daarvoor betaal. Sy sal dit maar net moet bank. Dis al.

Neville staan op en haal 'n selfoon uit die kluis. Die voorafbetaalde foon is die enigste manier hoe hy Michelle mag kontak. Hy tik 'n kort teksboodskap in en stuur dit af.

Moet jou dringend sien. Vergadering vanaand 19h30 gewone plek.

Sy antwoord kom binne sekondes.

Vanaand onmoontlik, môreaand 7uur by die RC.

Briesend skakel Neville die selfoon af en sluit dit in die kluis weg. Weet die blerrie bitch nie wat "dringend" beteken nie?

Hy begin om sy papiere te sorteer. Toe hy die hopies almal in sy in-hokkie plaas, dink hy: Verdomp, dit het twintig minute geneem om alles weer reg te kry. Volgende keer jaag hy die skoonmaker weg.

Teen drie-uur lag Neville gelukkig toe hy die aandeelpryse kontroleer, en besluit om die res van die middag te ontspan. Op pad uit haal hy twee blikkies koeldrank uit die yskas. By Duart se lessenaar sê hy in sy gewone nors stem: "Ek gaan uit wees vir die res van die dag," en sit een van die koeldranke voor hom neer. "Dè, moenie sê ek gee jou nooit iets nie."

"Dankie, meneer."

Neville kies koers na die Kyalami Country Club en parkeer sy BMW 735i in 'n skadukol. Miskien sal die wegbreek van die kantoor af hom weer helder laat dink. In die sitkamer van die klubhuis sluit hy aan by twee vriende wat sit en gesels. Die een kla steen en been oor hoë versekeringspremies. Met dié dat alle vulstasies groot volumes kontant hanteer, is hulle gereeld teikens vir rooftogte. Nie eers die feit dat hy nou Mapogo's vir bykomende veiligheid gebruik, skrik die rowers af nie. Die verwysing na groot volumes kontant is net wat Neville wil hoor. Hy besef hy kan so 'n opset tot sy eie voordeel gebruik, vra uit en kry 'n volledige opsomming van die aktiwiteite by 'n vulstasie.

4

Anja ry Woensdagaand opgeruimd huis toe. Haar gedagtes is by John. Sy weet hy kom van 'n plaas naby Koedoeskop af en hoop sy sal gou die voorreg hê om dit te sien. By haar woonstel skop sy haar skoene uit, stap verby die rusbank na die hoëtroustel en skakel dit aan. Die CD se klanke laat haar 'n suur gesig trek. Dis natuurlik weer Rentia wat die bas en treble verstel het. Sy verander aan die balans tot Joan Sutherland se stem die "Drinklied" uit *La Traviata* suiwer laat klink. Daar is 'n kuiltjie in haar linkerwang terwyl sy glimlaggend die ketel aanskakel. Op maat van die musiek klop sy met haar regterhand op die toonbank. Die laaste tyd is hierdie snit vir haar spesiaal. Elke keer wanneer sy daarna luister, onthou sy hulle ontmoeting by die Staatsteater.

Sy maak die yskas oop en haal melk uit. Haar dag in die spreekkamer by die hospitaal was maklik. Alhoewel sy meer pasiënte as gewoonlik gesien het, het dit gevoel asof die tyd verbyvlieg. Dis seker omdat dit die vorige aand vir haar gelyk het of hy al hoe meer in haar begin belangstel. 'n Groot man was nog altyd vir haar aantreklik. Anja skink haar koffie. Sy weet hy het 'n graad en sy besigheid doen goed. Sy plak haarself met voete en al op die rusbank neer en proe versigtig aan die warm koffie. En die klompie grys hare om sy slape is baie aantreklik.

"Mens, het jy nie 'n ander CD nie?"

Anja ruk haar voete van die bank af. Sy het Rentia nie hoor inkom nie.

"Ek hoor al weke lank niks anders as opera by hierdie woonstel nie. En dan nog dieselfde bleddie opera ook." Rentia stap tot by die venster en trek die gordyne oop. "Nou kan ons mekaar darem sien ook."

"Ja toe, maak soos jy wil, dis mos jou plek dié," sê Anja sarkasties en hoop Rentia kon uit haar houding agterkom dat sy haar vervies het. "Ek dog jy is op pad fliek toe."

Rentia toon geen tekens dat sy Anja se eerste opmerking gehoor het nie.

"Ja, ek is, dis hoekom ek hier is. Ek is haastig. En honger. Het jy Pasta & Sauce?"

Terwyl Anja in haar koskas loer, stop Rentia die CD-speler, soek iets anders uit en plaas dit in die gleuf.

"Daar's hy," sê sy. "Miskien laat Bryan Adams jou na 'n man verlang."

Dêm cheek! dink Anja, maar sê niks.

Rentia kyk agterdogtig na Anja. "Hoe lyk dit my ek slaan die spyker op sy kop?" Sy gaan staan met haar hande op haar heupe.

"Jy's laf." Anja waai met haar hand deur die lug en probeer lag. "Daar was twee jaar laas 'n man in my lewe."

"Jok jy nie vir my nie?" Haar oë lag skelm.

"Aag, Rentia, jy weet mos." Anja klink vies. "Vandat daardie mislike man my so bedrieg het, is mans laag op my prioriteitslys." Sy hoop Rentia kry gou haar loop; sy wil alleen wees.

"Hy was 'n uitsondering, mens. Alle mans is nie so nie."

Anja knik haar kop. "Nogtans, as jy glo iemand het jou

lief en jy kry hom in jou woonstel saam met iemand anders in die bed . . ."

"Dis history," val Rentia haar in die rede. "Net môre soek ek vir jou 'n date. Jy moet weer 'n slag begin leef!"

"Rentia, los dit nou! Jy weet ek hou nie daarvan as jy my in 'n rigting probeer druk nie."

Rentia kyk verbaas op. Ja toe, dink Anja, dis hoog tyd dat jy sien ek kan ook vies word.

"Hokaai, Anja, hokaai. Ek joke net. Sien jou. As ek hier staan en klets, gaan ek weer laat wees."

"Sê groete vir Willem."

"Ek wens dit was hy, maar hierdie date is vóór die naweek gereël."

Anja druk haar ore toe net voor Rentia soos gewoonlik die deur hard agter haar toeklap.

Later meld Neville by die Rand Club se sekuriteitswag aan.

"I am Neville Stemmet, the guest of . . ." Voor hy kan klaar praat, antwoord die wag.

"You are expected, sir. Could you sign the register, please?"

Die matte op die vloer demp hulle voetstappe terwyl die sekuriteitswag saam met Neville die trappe na die Jameson Room uitklim. Neville se oë gly oor die ou foto's en skilderye teen die muur. Die Africana wat in hierdie gebou opgesluit is, moet ongelooflik baie werd wees.

Sy sit en lees in 'n boek met 'n leeromslag toe hy die vertrek binnegaan. Sjoe, dink hy, wat 'n prentjie! Fyn gelaatstrekke, blond en 'n lyf! Hoeveel ouens het haar al gespyker? Neville grinnik. As hy vyftien jaar jonger was, sou hy haar graag self wou bykom. Maar sy bly 'n dominerende bitch! As dit nie was dat sy die geld beheer nie, sou hy haar lankal iets laat oorkom het. Stil-stil.

"En die skielike verandering van 'n bymekaarkomplek? Is die Village Walk nie meer goed genoeg nie?" vra Neville met die intrapslag.

"Dis baie veiliger hier." Michelle kyk op en wys na die skinkbord. "Kry vir jou."

Met 'n sjerrie in die hand begin hy besigheid praat. Die stand en die vordering van sake word in diepte bespreek. Neville se hande werk oortyd soos hy beduie. Hy vertel ook van Duart se deurbraak en die kontant wat hy oor 'n week gaan nodig hê.

"Is jy donnerswil gek?" sis Michelle tussen haar tande deur. "Nee hel man, dis nie sommer net geld vat en gaan bank nie. Daardie note sal enige wakker kassier se aandag trek. Dis oukei as dit twee of drie in 'n bondel is, maar soveel? Nee. Ek waag dit nie."

Neville gee Duart se projeksies aan. "Kyk hierna voor jy besluit. Asseblief. Dis in jou belang ook."

Michelle kyk na die drukstukke en vra uit na Duart se ontledingsmetode. Neville voel verlig toe haar vrae opraak.

"Beteken dit jy gaan dit doen?"

"Ek sal sien."

Die uitdrukking in sy oë is pleitend. "Michelle, ek moet weet."

"Neville, jy ken my. As ek sê ek sal sien, gaan ek nie binne tien minute besluit nie."

Sonder om weer na hom te kyk, tel Michelle die boek op en lees verder. Neville skud sy kop. Ignorant bitch.

Hy sien haar weer opkyk.

"Loop nou. Jy's verskoon."

Tuis skakel Michelle haar rekenaar aan en konnekteer met die internet. Terwyl sy 'n paar bankrekeninge kontroleer, maak sy notas op 'n papier. Die bedrag kontant wat Neville gebank wil hê is groot. Boonop weet sy daar is deesdae 'n aksie by alle banke om geldwassery te identifiseer. 'n Vriend het haar vertel hulle het 'n hele span mense wat groot kontantinbetalings monitor. Die laaste ding wat sy wil hê, is 'n bankondersoek.

Dumesani, haar mikroleningsagent, is op die oomblik in Malelane werksaam. Mikrolenings is haar vernaamste verspreidingskanaal vir die geroofde geld. Sy voorsien kontant en Dumesani leen dit uit. Die geld wat hy terugontvang, kan nie aan bankrowe gekoppel word nie en is veilig om te bank. Hy behoort oor 'n week klaar te wees met sy invorderings. Sy kan die geld wat hy het bank en hom met nuwe geld na 'n volgende dorp verskuif. Sy doen 'n paar berekeninge. Dumesani se geld is nie genoeg nie. Sy kan altyd weer die man in Nelspruit gebruik. Hy's 'n insider en het haar voorheen gehelp om van die ou note te bank. En dis maklik om met hom te onderhandel; hy is klei in haar hande en het altyd geld nodig. Maar Neville begin onverantwoordelik optree. As hierdie man met die groot rooi neus weer so 'n gekheid aanvang ... Sy sal hom moet dophou.

'n Uur later, tevrede dat sy haar huiswerk behoorlik gedoen het, verbreek sy die internetverbinding.

Die program op TV hou nie soos gewoonlik haar aandag nie. Dit pla haar dat John haar gesien het. Sy was onverskillig. As sy geweet het dat hy die spreker gaan wees, sou sy nie die byeenkoms bygewoon het nie. Sy wens sy weet wat in sy kop aangaan. Sy twyfel of hy polisie toe sal gaan. Hy behoort te weet dat hy destyds gelukkig was om los te kom. As hulle haar ook gevang het, sou hy beslis nie alleen tronk toe gegaan het nie. Sy probeer dink wat sy sou gedoen het as die rolle omgeruil was.

Sy weet sy sou lankal probeer uitvind het waar hy is.

Bloot om te weet of hy die geld het, of moontlik weet waar dit is. Hy kan maar soek. Vir Sanet de Villiers sal hy nie kry nie. Hy weet dat sy wees grootgeword het, maar van Michelle het sy niemand vertel nie.

Sy is nou eers bly dat sy nooit vir iemand van haar tweelingsuster en hulle verblyf in die weeshuis in Nylstroom vertel het nie. Dit was aanvanklik swaar omdat hulle in verskillende stede werk gekry het, maar mettertyd het sy daaraan gewoond geraak dat hulle al minder en minder kontak gehad het. Veral nadat Michelle en haar man Londen toe verhuis het. Toe het sy het net haar telefoonnommer en 'n adres geken.

Sy besef weer eens hoe gelukkig sy was om weg te kom die dag toe Sias geskiet is. Al wat deur haar gedagtes geflits het, is dat die polisie na haar sal soek. Gevolglik het sy dieselfde dag 'n vlugkaartjie Londen toe gekoop. Die twee dae van ongemak en spanning in die vertreksaal van die lughawe onthou sy nog soos gister. Vandag besef sy dit was 'n dom ding om te doen. Dis die eerste plek waar die polisie moes gesoek het. Gelukkig vir haar het hulle nie.

5

"Sit, meneer Lotriet."

"Willem sal beter klink, ek hou nie van formaliteite nie. Wat moet ek vir jou doen?"

"Willem, ek soek na 'n meisie." John gee vir hom 'n koerantuitknipsel met 'n foto van Sanet. "Sy het tien jaar gelede uit my lewe verdwyn. Ek het haar gister weer gesien en soek haar met 'n seer hart."

"Uhm. Nes ek gedink het. Sanet de Villiers. Dink jy sy het die geld?"

Dit voel vir John of hy die stortkraan met koue water volsterkte oor homself oopgedraai het.

"Jy. Êê. Hoe ken jy haar naam?"

"Ek is 'n speurder, John. Ek het alles opgeswot."

"Willem, verstaan my mooi. Ja, ek dink sy het die geld gehad, of ten minste geweet waar dit was, maar ek soek haar nie omdat ek daarvan wil hê nie. Ek soek net die feite. Met die geld wil ek niks te doen hê nie. Ek het nooit iets daarmee te doen gehad nie en wil dit bewys."

"Ek sal haar soek en ek belowe jou ek sal haar kry. Vir haar en die feite."

"En jou tarief?"

"Honderd en vyftig per uur, plus directs."

34

John dink 'n rukkie.

"Goed, wanneer kan jy begin?"

"Sommer nou, maar ek het een voorwaarde. Jy moet my alles vertel."

"Ek dog jy sê jy weet alles."

"Ja, ek het copies van die hoflêers en weet wat in die koerante was. Maar ek wil meer weet. Jy kan begin vertel by die dag toe jy haar ontmoet het. Vertel van haar vriende en familie. Nommer, naam en rang. Alles."

"Hoeveel tyd het jy?"

"Hope. My geduld het nie einde nie."

John hou die meisie met die lang blonde hare dop. Dit lyk of sy baie ligvoets dans. Af en toe dans hy ook, maar voel baie lomp. Hy sien haar weer. Arms hoog en voete bymekaar. Sal hy ooit syne so maklik soos sy op die regte plekke kan neersit? Sy sit ook nooit uit nie, maar dit lyk nie vir hom of sy saam met iemand daar is nie. Omtrent tienuur staan hy op en loop tussen die mense deur.

"Sal jy met my dans?"

Die tweede keer dat hy haar tone raaktrap, praat sy vriendelik met hom.

"Sal jy omgee as ek jou iets wys? Jy maak net een of twee klein foutjies"

Hierna voel John soos 'n pro. Die hele aand, tot toemaaktyd, dans sy nie weer met iemand anders nie. Hy ken nou al haar naam ook. Sanet. Fok, sy's sexy! Hy voel hoe alles binne hom bokspring.

"Ek bly in die Jeugsentrum in Vermeulenstraat, en jy?"

"Vergesig-woonstelle," antwoord Sanet.

John wil uit sy vel spring van blydskap – dis 'n halwe blok van hom af.

"Het die woonstel 'n nommer?" vra hy.

"Ja, 506. Nou gaan jy seker vra of daar koffie ook is. Daar is."

Willem luister en maak notas.

"Sias, die ou wat in die bank doodgeskiet is, was een van ons vriende. Ek het hom leer ken terwyl ek by die monteerfabriek gewerk het. Hy was Perry's se beste snoekerspeler en het my leer speel. Daar was agt tafels, ou Nev se toonbankie, 'n muntbussie en 'n toilet sonder 'n deksel." John trek sy neus vol plooie. "Mens het net pis geruik. Geen drank nie. Nev het gesê die ouens wat wil suip, kan by die Hellenic of Belvedere gaan speel."

"Het jy nooit agtergekom waarmee hy besig was nie?"

"Jy weet, ek het soms gewonder, maar ek was nie seker nie. Ek het my werk verloor. Shit, ek moes nooit daai ou gebliksem het nie, ten minste nie by die werk nie. Die fokken appie moes my en Sanet êrens saam gesien het. Ewe windgat kom hy een oggend by my aangestap en sê as ek nie weet wat om met so 'n girl te doen nie, moet ek hom roep. Hy sal my wys hoe spyker mens. Toe bliksem ek hom. Net daar." John vroetel in sy broeksak, haal sy sakdoek uit en blaas sy neus.

Hy vertel verder hoe hy en Sias een oggend besig was om snoeker te speel. Sias, wat nie 'n kar gehad het nie, vra toe hy moet hom gou Pretoria-Noord toe neem. Hy het vir iemand wat nie by die bank kon regkom nie 'n small loan gemaak en hy wil die geld gaan haal. John het buite in die kar gewag terwyl Sias die man in die bank sou kry.

"Terug by die woonstel het Sias 'n banksakkie oopgemaak, 'n paar note uitgehaal en vir my gegee. Vir my moeite, het hy gesê. Die vroegaandnuus op TV het my laat skrik. Daar was 'n roof by 'n bank in Pretoria-Noord. Ou Sias het oor sy voorkop gevee en gesê ons was gelukkig, dit moes gebeur het kort ná ons daar weg is."

John vertel dat Sanet later saam met Sias begin small loans maak het. Hy moes hulle gereeld bank toe vat wanneer iemand moes betaal. Partymaal het hy vir Sias of Sanet gaan aflaai en by ander geleenthede moes hy een van hulle gaan haal.

"Die dag toe ek gevang is, het ek vir Sanet buite die bank gewag. Ek het 'n skoot gehoor en gewonder wat aangaan. Die cops was daar voor Sanet by die bank uitgekom het. Die res behoort jy te ken."

Willem leun agteroor in sy stoel en vou sy vingers inmekaar.

"Daar moes gereeld hiervan op TV gewees het. Het dit jou nie laat dink nie?"

"Ja, maar ek was nooit seker nie. Sanet was my meisie, sy sou nie vir my lieg nie."

"Sy het. Hoekom het jy hierdie inligting nooit vir die ore gegee nie?"

"Dink jy hulle sou my glo? Ek sou gesit het."

"Exactly."

"En jy. Glo jy dit?"

Willem maak sy lêer toe. "Ek weet nie. Maar omdat jy wil hê die feite moet uitkom, laat jy my twyfel. Jy sal seker nie so dom wees om op jou eie stoep te dinges nie."

John haal die voorsitter van die Vereniging van Jong Sakevroue se visitekaartjie uit en gee dit vir Willem.

"Miskien moet jy hier begin."

Willem bekyk die kaartjie deeglik en druk dit in sy hempsak. "Ek sien jou weer."

Terug by sy motor wonder Willem of John sy verbasing kon sien. Hy is oortuig dis John se gesig wat hy Anja sien teken het. Kompleet. Tot die sny onder sy lip. Shit, waar en hoe het sy met so 'n skarminkel wat homself lanie hou deurmekaar geraak?

Hy bestudeer die voorsitter se visitekaartjie. Daarop is 'n naam en twee telefoonnommers. 'n Landlyn en 'n selfoon. Die feit dat daar geen adres is nie, pla hom nie. Dit gaan maklik genoeg wees om dit in die hande te kry. Belangriker is hoe hy die saak gaan benader. Hy besluit om sy alias as verslaggewer te gebruik, haal 'n ander selfoon uit die duifnes en skakel die landlyn. Dit lui net. Die voorsitter antwoord haar selfoon en stem in om Schalk Jacobs die volgende dag by haar kantoor te spreek.

Willem stoor die nommer en koppel dit aan sy Schalk Jacobs-luitoon. Daarna skakel hy nog 'n nommer.

"Tjom, ek weet ek skuld jou, maar ek soek 'n guns." Hy gee die selfoonnommer. "Ek wil graag 'n printout van die calls hê. Maak dit van Vrydag af." Hy luister na sy vriend se antwoord en praat verder. "Thanks, sien jou môreaand by die pub. Die dop is op my."

Willem bekyk die verkeer, wag sy kans af en trek weg. Hierdie saak kom op 'n goeie tyd; sy kontant is skraps. Tog pla iets hom. Hy sou nie tien jaar gewag het om na Sanet te soek nie. Hy sou haar lánkal opgedonner het. Willem vermeerder spoed en verwissel van rat. Wat hom meer pla, is dat John via Phil by hom uitgekom het. Hoewel hy bly is oor die werk wat Phil gereeld na sy kant toe aangee, is hy nie sy gunsteling-prokureur nie. Phil het 'n reputasie dat hy meer twyfelagtige strafsake as ander prokureurs hanteer. Én wen. Hoekom sal hierdie saak anders wees? In so 'n geval is dit glad nie onmoontlik dat John 'n fiktiewe rede vir sy soektog voorhou nie. Hy kan aan 'n beter een dink. Dit kriewel onder sy se nekvel. Shit! Sê nou dis daardie grote waarvoor hy al so lank wag?

Willem trap die petrol weg. Hy wil by die huis kom. 'n Brandewyn en Coke het hom nog altyd beter laat dink.

6

By die kantoor van die Vereniging van Jong Sakevroue stel Willem homself aan die voorsitter voor as Schalk Jacobs, 'n vryskutjoernalis wat aan 'n biografie oor John Lombard werk. Hy vertel dat John iemand by hulle funksie gesien het wat hy jare gelede goed geken het en glo sy kan 'n positiewe bydrae maak.

"Dis nodeloos om te sê dat daar nie 'n Sanet de Villiers in die telefoonboek is nie en ons hoop dat jy my met haar adres sal kan help."

"Ek onthou dit. Daar was drie laatkommers," sê sy, "twee van hulle ken ek goed. Dit kan beslis nie een van hulle wees nie. Die ander een het by tafel drie gaan sit." Sy kry die lys met die tafelplasings.

Daar is ses name op tafel drie se lys. Vir sommige van die dames is daar, benewens hulle vanne, ook name beskikbaar terwyl daar vir die ander net voorletters is. Nie een 'n Sanet of 'n S in die voorletters nie. Ook nie 'n De Villiers nie. Willem is bly toe hy hoor sy kan darem hulle werksadresse gee. Drie van die dames werk by Sanlam, twee by die JSE, terwyl die ander een se werksadres as JHB Micro Lenders aangedui word. Willem kry nietemin 'n afskrif van die lys.

"Sanet kan maklik haar tweede naam wees en miskien is sy nou getroud," sê hy.

Michelle se eerste stop is 'n hotel tussen Nelspruit en Witrivier. Elke keer wanneer sy van hierdie roete gebruik maak om geld te bank, slaap sy by dieselfde hotel omdat die plek se ligging haar pas. Van hier af kan sy in een oggend twee deposito's afhandel, een by Absa in Nelspruit en een by People's Bank in Witrivier.

Nadat Michelle die besoekersregister voltooi het, neem die portier haar bagasie na haar kamer. Sy pak net 'n paar goed uit, daarna gaan sit sy, soos gewoonlik, buite op die terras. Die aktetas waarin sy die kontant vervoer is vir haar 'n bekommernis. Sekere hotelle en oorde het 'n veilige bewaringsfasiliteit, maar nie hierdie een nie. Dit beteken dat sy altyd naby die tas moet wees. Selfs wanneer sy in die motor is of êrens moet parkeer, pla dit haar.

Vanwaar die hotel op die hoogste punt tussen die twee dorpe sit, kan Michelle baie ver sien. Sy is lief vir die natuur en hou van die uitsig, verkyk haar aan die poue wat pronk-pronk rondloop en die glinstering van die laatmiddagson op die glansspreeu se vere. Die spreeu kom sit baie naby haar en wag, waarskynlik dat daar iets soos broodkrummels uitgegooi moet word.

"Jammer, my ding, vandag het ek niks vir jou nie," praat sy met hom. Asof hy haar woorde verstaan, vlieg hy op en begin elders tussen die welige kikoejoe pik.

Sy neem haar selfoon en skakel.

"Haai, gorgeous, raai waar is ek? Kom maak 'n draai. Ek verlang my dood."

"Dit gaan moeilik wees vanaand," sê die stem aan die ander kant. "Kan ons dit nie liewer môreaand maak nie?"

"As jy weet wat ek vir jou saamgebring het . . ."

"Ek sien jou so oor 'n uur. Wat is die kamernommer?"

Dis beter, dink sy voor sy antwoord.

"Sewe en dertig."

Omtrent 'n kwartier voor aandete kom die tromspelers uit. Tipiese Afrika-klanke vul die lug. 'n Hele klomp toeriste kyk hoe die trommers hulself in die musiek inleef. Michelle luister nie daarna nie; sy dink aan wat voorlê. Om 'n deposito by die bank in Nelspruit te maak is vir haar maklik, maar dit kos haar.

Sy gaan na binne, bestel aandete vir twee en 'n bottel vonkelwyn om afgelewer te word. Haar donkerblou pakkie maak plek vir 'n sagte rok wat vleiend om haar slank lyf pas. Die wit rok met oranje blommetjies beklemtoon haar bene en laat haar veel jonger as drie en dertig lyk. Michelle raak doenig voor die spieël. Sy haal die knippies uit haar hare sodat dit los hang en borsel dit uit. Ook haar lippe ondergaan 'n metamorfose. Die donker kleur maak plek vir 'n ligte pastel. Sy ken mos die reëls, dink sy. Vanaand het sy nie 'n keuse nie. Sy sal meer doen as net mooi lyk.

Sy wag amper 'n minuut ná sy die klop hoor voor sy die deur oopmaak en innemend glimlag vir haar besoeker. 'n Man, in sy laat dertigs, kom binne. Hy lyk effens ongemaklik, maar dit verdwyn gou onder haar omhelsing.

"Mmm, White Linen, nè."

"Jy onthou baie goed, Giepie, of gebruik jou vrou dit ook?"

Teen halftien staan hy van die bed af op en trek sy baadjie aan. "Ek kan regtig nie vanaand later bly nie," sê hy verskonend. Sy haal 'n groot bruin koevert uit haar kas en gee dit vir hom.

"Net vir jou. Husse met laaaang ore. Sien jou môreoggend in die bank. Ek sal nege-uur daar wees. Sorg dat jy my bedien."

41

Giepie glimlag breed en hou die koevert in die lug. "Verseker."

Nadat hy vertrek het, tap sy water in die bad en maak reg vir die bed. Sy lê lank wakker; die slaap wil nie kom nie.

Een van Michelle se selfopgelegde reëls is om nie aandag te trek nie. Voor sy die volgende oggend by die bank in Nelspruit instap, skakel sy haar selfoon af. Haar oë gly deur die vertrek. Daar is drie kassiere in hulle hokkies, maar net twee is besig om kliënte te bedien. Haar kontak sit in die ander hokkie met 'n Closed-bordjie in die venster. Sy val in die ry met vyf persone voor haar en glimlag toe sy sien hy kyk op. Sy is skaars voor in die ry toe die elektroniese bord wys dat kassier 3 beskikbaar is. Die Closed-teken is weg toe sy by hom kom. Hy neem die deposito, laat die note deur die masjien tel en stempel haar depositostrokie. Michelle loop uit sonder om terug te kyk. Dit was die maklike een, dink sy. Sy is bly dat sy die vorige aand heelwat meer van die ou note in hierdie bondel geplaas het.

Agter haar rug sit Giepie die Closed-teken terug. Hy haal die ou note uit die pakkies en vervang dit met nuwes uit sy kluis. Dié wat hy gisteraand by Michelle gekry het, het hy reeds omgeruil. Hy roep die hoof van tesourie nader, verklaar die groot kontantdeposito en voltooi die oordragvorm. Sy kas mag nooit meer as 'n sekere hoeveelheid geld bevat nie; dis sekuriteitsmaatreëls. Ongesteurd gaan hy voort om die lone vir die plaaslike busdiensmaatskappy op te maak. Al Michelle se note kom daarin. Hy balanseer sy kontantposisie en seël die koeverte.

In Witrivier besoek Michelle 'n ander bank waar sy nog 'n deposito wil maak. Die baie mense langs die nabygeleë taxistaanplek laat haar ongemaklik voel. Sy kyk kort-kort rond. Binne die bank tref sy dit gelukkig. Daar is onmiddellik 'n kassier beskikbaar. Sy skuif haar banksakkie deur die gleuf. Die depositostrokie is uitgemaak in die naam van C. Y. Masuku.

"Heisj, all this money for Charles?" sê die kassier.

Michelle dink vinnig en antwoord dadelik.

"Yes, I am his new accountant from Johannesburg. He asked for advice about the savings he tucked away in his private chest at home and I convinced him to bank it immediately. We will probably come in early next week to invest it on a fixed deposit."

"Well done, ma'am." Die kassier glimlag breed terwyl hy haar strokie stempel.

Terug by die hotel vereffen Michelle haar rekening en vertrek. Haar motor se neus draai oos. Sy hou aan met ry tot by Malelane en hou stil by die Wimpy waar sy 'n afspraak het met Dumesani, haar mikroleningsagent. Sy het nog note wat hy moet bank. Tydens die ete kontroleer sy Dumesani se vordering en gee instruksies. Hy moet sy invorderings daar afhandel en daarna Barberton toe gaan. Michelle sê sy glo daar is meer klandisie in die vorm van mynwerkers wat gereeld na lenings op soek is. Sy gee ook vir hom die bykomende note saam met dié wat hy op Barberton kan uitbetaal en help hom om 'n nuwe bankstrokie vir die verhoogde bedrag in te vul. Met die belofte dat sy hom oor 'n maand weer sal sien, laai Michelle vir Dumesani voor die bank af. Haar volgende stop is naby Komatipoort waar sy die volgende dag geld wil bank.

Ngwenya lê op die oewer van die Krokodilrivier, omtrent nege kilometer vanaf die Krokodilbrughek van die Krugerwildtuin. Daar is geen grensdraad na die wildtuin nie en

43

diere kan maklik deur die rivier beweeg en die oord binnekom. Veral as die rivier se watervlak laag is, gebeur dit dikwels. Michelle sit op die stoep van chalet nommer agt en tagtig. Dit is reg op die oewer en bied 'n goeie uitsig op die rivier. In die versengende hitte is 'n klompie buffels besig om skaars veertig meter van daar af te suip.

Neville Stemmet laai sy kind op by Helpmekaar Hoërskool en kies koers huis toe. "Waar is Ma vandag?" vra die seun.

"Sy het die een of ander kursus aan die gang. Pottebakkery, of so iets. Moet jy nog êrens afgelaai word vanmiddag?"

"Nee, Pa, dis vandag net huiswerk en leer. Ons skryf môre 'n groot wiskundetoets en ek moet op my beste wees. Ek het vir die olimpiade ingeskryf."

Neville swel van trots. Hierdie kind gaan dit nog ver bring. So 'n kop vir wiskunde het hy nog nie teëgekom nie.

Hulle draai in by 'n huis wat op die Westdene-dam uitkyk. Van buite af lyk dit na 'n ou woning, maar binne is dit ruim en modern gemeubileer. Neville gaan sit by die geelhoutlessenaar in die studeerkamer en maak die middagkoerant oop. Daar is 'n advertensie van 'n vulstasie wat te koop is. Toe hy dit sien, onthou hy dadelik sy gholfvriend se vertelling. Dalk is dit die oplossing waarvoor hy wag. Hy skakel die agent en maak 'n afspraak om te gaan kyk. Daarna kom sy aandelemakelaar aan die beurt. Die glimlag op sy gesig verbreed toe hy die pryse hoor. Duart het uitstekende werk gedoen. Terwyl hy verder deur die koerant blaai, sien hy ook 'n advertensie van 'n banknootversamelaar wat na spesifieke uitgawes soek. Hoe gelukkig kan hy wees? Hy haal weer sy selfoon uit en bel.

Die versamelaar klink baie opgewonde.

"It all depends on their condition and serial numbers. When can I meet you? I will come to your office."

Neville dring aan om die versamelaar by sy huis te besoek. Hy glo Michelle sal die vyfrandnote vir hom gee, maar hulle het 'n reëling dat hierdie note nooit naby die kantoor mag kom nie. Hulle maak 'n afspraak.

Neville haal 'n skryfblok uit sy aktetas en begin notas maak. Vrae wat hy wil vra oor die vulstasie. Heelbo is omset, voorraad en personeel. Hy wonder ook hoe Michelle vaar. Tot nou toe het hy nog niemand van sy "vennoot" vertel nie. Ook nie waar hy die geld gekry het om die batebestuursfirma op die been te bring nie. Almal dink hy het dit op die beurs gemaak. Hy hoop werklik dit kan 'n geheim bly tot hy genoeg het om op sy eie aan te gaan.

Die Wanderers se kroeg is stil op 'n Donderdagaand. Willem sit op een van die stoele by die toonbank en gesels met die kroegman. Sy vriend daag op en die kuiery word 'n fees.

"Yes, my china, wat graft jy deesdae, of is dit 'n secret?" vra sy vriend terwyl hy nog 'n dop nader sleep.

"Aag, jong, die gewone dinge, opsporings. Ek hou nogsteeds mense dop en neem 'n paar foto's wanneer 'n man dink sy vrou neuk rond, en so aan. Party sake is nogal heel interessant," sê Willem.

"Maar dit smaak my jy is high up besig. Dis nou as ek gister se adres uitcheck."

"Hel, man, dis 'n weird een dié. Ek moet 'n girl opspoor. Dis nie die een waarvan ek die adres gevra het nie; sy is net die beginpunt." Willem haal 'n koerantuitknipsel van tien jaar gelede uit. Dis 'n voorbladartikel wat handel oor 'n reeks rooftogte met foto's van 'n jong man en 'n meisie.

"Ek was nog in die kollege toe hulle vir John, dis nou

my kliënt, aangekeer het. Almal het geglo hy was betrokke. Maar op die ou end het hy, ná 'n paar maande in die selle, losgekom omdat die getuienis nie genoeg was nie. Die meisie kon hulle nooit kry nie." Willem skep asem en proe aan sy brandewyn en Coke. "Om 'n lang storie kort te maak, hy glo dit was sy en die ou wat in een van die banke doodgeskiet is wat alles gedoen het." Willem hou twee vingers op vir die kroegman. "Maar ek weet nie so mooi nie."

"Skiem jy hy lieg?"

"Shit, ek wens ek het geweet. Hy dink iemand was kwaad vir hom en het sy XR6 se nommer vir die ore gegee. Hulle het hom ingekatrol en later 'n klompie cash, maar nie vrek baie nie, in sy flat gekry."

Willem sien hoe sy vriend se oë rek en neem 'n blaaskans met die brandewyn.

"Die res van die geld was skoonveld. Sy ook. Hy sê hy het haar eergister weer gesien en wil hê ek moet haar soek."

"Dink jy hy glo sy het nog die tjieng en wil nou sy share hê?"

"Ek sê mos, ek weet nie. Hy sê hy wil die feite hê om sy naam skoon te maak."

"Moet jy hom nie eerder na die fuzz toe stuur nie?"

Willem lag.

"Nope. Hulle het nie tyd om ou sake te heropen nie. Jy sal my seker nie glo nie, maar ek moes drie ure wag dat hulle die dossier soek. Nee, tjom, met hierdie een gaan ek my break maak. Jy weet, toe ek nog in die mag was, het ek nie veel verdien nie, maar daar was elke maand geld. Nou is dit anders. Ek lewe, maar die opdragte is skaars en klein. As hierdie een uitwerk, betaal ek die Tazz af en dan's ek on my way. Ek voel so aan my gat dat die opsporing net 'n gedeelte van die storie is."

7

Vrydagoggend. Komatipoort lyk soos 'n miernes. Kan daar soveel mense in hierdie klein dorpie woon? wonder Michelle. Die bank se straat lewer flitsende blou ligte op. Twee noodwerkers laai iemand in 'n ambulans. Mense in uniforms sper die straat met rooi en wit gestreepte lint af. Een rits 'n blink sak toe.

Michelle se asemhaling versnel toe sy dit sien. Hier moes 'n skietery of 'n roof gewees het. Sy onthou hoe hulle so vir Sias uit die bank in Andriesstraat weggevat het. Vandag sal sy nie hier kan geld deponeer nie. Die wit Jetta ruk-ruk toe sy vetgee om verby te ry. Sy parkeer voor die Spar. In 'n poging om tot verhaal te kom, sit sy lank stil in die motor. Die toneel met Sias voor die bank bly in haar gedagtes.

Die mense staan rondom haar in die bank.

"Hy het aan my boud gevat!"

Die man ontken dit.

"Vark!" Sy klap hom weer. Sias is by die kassier. Die mense rondom haar praat onder mekaar. Sias is klaar en stap weg.

"Keer hom! Roof!" hoor sy die uitroep van die kassier

47

en in die gemaal daarna klap die skoot. Sy sien Sias val.
Sy wil na hom toe hardloop, maar besef sy kan dit nie
doen nie. Onder die geharwar kyk sy rond en sien die
sy-uitgang. Buite is dit net polisie waar sy kyk. Een van
hulle wys na John se kar. Hoe het hulle van hom geweet?
wonder sy. Weet hulle van haar ook? Sy draai om en stap
vinnig anderkant toe.

'n Paar minute later stuur Michelle die wit Jetta in die rigting van die laagwaterbrug oor die Krokodilrivier. By die kantoor wys sy haar Wild Card en gaan in. Sy wil ontspan en haar gedagtes van Sias af wegkry.

Die grondpad langs die Krokodilrivier is stil. Tot die kleinwild is min. Sy sien rooibokke, maar nie veel meer nie. Die kloppende gevoel in haar kop laat haar sukkel om te konsentreer. Sy voel haar hande aan die stuurwiel vaskleef. Die toneel voor die bank is weer helder.

Die lesing op haar motor se temperatuurmeter staan op nege en twintig toe sy by Afsaal, 'n stilhouplek nie ver vanaf die Malelane-hek af nie, indraai. Daar staan omtrent tien ander motors in skadukolle geparkeer. Besoekers sit by die tafeltjies en gesels. Langs een van die skottelskaar-braaiers lag 'n man lekker, braaitang in die hand. Alles ruik na braaivleis.

In die toilet spoel Michelle haar natgeswete hande af. Sy koop twee blikkies koeldrank en 'n slab sjokolade in die winkel. Donker sjokolade was nog altyd een van haar swakhede.

Willem werk van sy huis af. Dit is nie sy eie nie, hy huur dit. Daar is ses name op die lys wat hy by die voorsitter van die Vereniging van Jong Sakevroue gekry het. Die ouderdom en voorkoms van 'n persoon vergemaklik sy proses van uitskakeling. By die JSE het hy vinnig reggekom. Die dame op die skakelbord gesels asof sy nooit die geleentheid daarvoor kry nie. Sy ken almal, weet waar hulle woon en vertel selfs hoe die gades lyk. Willem lag. Hy wonder of sy ook weet watter kleur tandeborsels hulle gebruik. Nie een van die vroue wat daar werk, voldoen aan Sanet se beskrywing nie. Mevrou Wiggett is drie en vyftig. Sanet moet drie en dertig wees. Juffrou Cooper se ouderdom is reg, maar sy is 'n rooikop met baie kort hare. Sy kan dus ook nie Sanet wees nie.

Die klanke uit sy CD-speler het stil geraak. Willem staan op en loop tussen die bank en een leunstoel deur om die CD te ruil. Hy geniet die klanke van Nkalakhata se musiek wat die vertrek vul en wonder of hy John nie verkeerd opgesom het nie. As hierdie kunstenaar ver bo sy verlede kon uitstyg, is dit vir iemand soos John ook moontlik. Hy stel die klank effens harder en hou tyd met een hand. Sal die Classic Queen ooit kwaito sound kan waardeer? Hy is verbaas dat hy nie eerste aan Rentia ge-dink het nie. Sy lyk na een wat haarself maklik op Man-doza se beat uit haar skoene sal uitdans. Nie Anja nie. Willem dink weer aan Anja se skets van John. Vanwaar sou sy hom ken? Hy gaan sit om verder te werk.

By die nommer van JHB Microlenders kry hy nie ant-woord nie. Hy kan nog die dames wat by Sanlam werk, probeer.

"Jo-anne Swanevelder, hallo."

"Jo-anne, my naam is Schalk Jacobs. Ek is op soek na Sanet de Villiers. Iemand het jou nommer vir my gegee en gesê jy kan my dalk help."

"Sanét?"

Willem luister vir tekens van huiwering in Jo-anne se stem.

"Nee, glad nie. Mmm, laat ek dink. Die naam lui 'n klok-kie, maar ek kan nie onthou waar ek dit gehoor het nie."

"Dit was nie dalk by die sake-ontbyt nie?" probeer hy haar geheue verfris.

"Ditsem! Probeer vir John Lombard, die man wat die praatjie gelewer het. Hy het een van die drie wat laat gekom het Sanet genoem."

"Kon jy agterkom watter een dit was en hoe sy lyk?" por Willem haar verder aan.

"Ja. Die blonde een het by ons tafel kom sit. Sy het vies gelyk. Ek moet sê, ek sou ook wees as iemand voor tweehonderd mense sê ek is altyd laat."

"Julle het nie dalk kaartjies uitgeruil nie?"

"Nee, maar ek is seker John sal jou kan help."

"Thanks, Jo-anne, ek sal hom bel. Jy het my baie gehelp."

So, dink hy terwyl hy die telefoon neersit en kombuis toe loop vir 'n dop. Dit moet die microlender wees.

"Ek sal moet Coke koop. Brandy smaak nie lekker saam enigiets anders nie," praat Willem hardop met homself.

In die twee jaar sedert hy die polisiemag verlaat het, het hy finansieel wipplank gery. Hy moes die gesubsidieerde woonstel ontruim en duurder vir sy blyplek betaal. As hy net op sy eie kan survive. Dit het makliker gegaan toe hy en Helen saam was. Jip. Dinge is makliker as mens twee is. Tog is hy oortuig dit sal beter gaan as hy eers een groot saak kan afhandel. En hierdie een, voel hy, is 'n grote. Net hom afhandel, dan sal die mynmaatskappye soos De Beers van hom kennis neem. Hy sal by hulle nog groter sake kry, personeel kan aanstel. Huweliksondersoekers. Ook mense wat in bedrogsake kan rondsnuffel. Sodoende kan hy sy besigheid uitbrei en sy kleintydideaal, om beter as Remmington Steel en Magnum gesamentlik te wees, verwesenlik. Sy plek is nie baie groot nie, maar heeltemal voldoende vir twee. Dis nog vol van Helen. Die meubels, breekware en gordyne was alles haar keuse. Hy sal daarvan wil wegkom, maar het nie genoeg geld nie. Gelukkig kon hy sy kantoor van haar veranderingslus red. Daar staan 'n rekenaar en 'n faksmasjien op die lessenaar. Maar selfs sy eie goed begin hom aan Helen herinner. Soos die groot plakkaat van jaende renmotors op Silverstone.

Willem maak sy e-pos oop. Eerste sy vriend se lys van telefoonnommers. As die voorsitter vir Sanet geskakel het, kan hy dalk haar huisnommer kry. Dit sal hom 'n rit Emmarentia toe spaar. Daar's sewentien nommers. Die selfoonnommers het ook name en adresse by. Vyf van die nommers is landlynnommers. Hy begin skakel.

"Sanet, is dit jy?"

Hy weet sy geoefende oor sal wel iets in die ondertone optel as die ontkenning nie oortuigend is nie.

"Jammer, verkeerde nommer."

Word die telefoon deur 'n man beantwoord, vra hy om met mevrou so of so te praat. Af en toe, as hy nog nie sekerheid het nie, voeg hy nog 'n opmerking by soos: "Kom nou, moenie maak of jy nie my stem herken nie, dis Piet wat praat."

Een na die ander skakel hy die nommers. Sonder sukses. Verdomp, dink hy, die voorsitter ken regtig nie vir Sanet nie. Hy sal moet ry.

Willem drink sy brandewyn klaar en besluit om die volgende dag verder na Sanet te soek. Vir nou kan hy kan gouer kontant in die hande kry as hy die werk vir Chris Johnson afhandel, 'n man wat sy vrou van ontrouheid verdink. Hy stap na buite en begin sy wit Tazz was. Hy gee baie aandag aan die mags, vryf dit blink en poleer die White Wall-bande. Behalwe dat hy nie op die oomblik iets beters kan bekostig nie, glo hy 'n speurder se motor moenie aandag trek nie. Dit moet lyk of dit aan enigiemand kan behoort. Hy haal 'n kamera uit die bak, lig dit

51

tot teen sy oog en stel aan die lang lens. Daarna toets hy die infrarooiflits se batterye. Hy wil seker maak dat dit sterk genoeg is wanneer hy dit later vanaand nodig het.

Laatmiddag is Michelle weer by Ngwenya. Sy weet sy moet 'n plan beraam om die geld op 'n ander plek te bank en is vies vir haarself dat sy oor Sias gehuil het. Sy weet die rand word in Swaziland as geldige betaalmiddel aanvaar en is amper meer volop as die plaaslike emalangeni. Daar sal sy geen probleem hê om die note te bank nie. Die mense daar behoort ook nie die onderskeid tussen die nuwe en ou tipe note te ken nie. Môre is dit Saterdag. Sy kan die naweek daar oorbly. Michelle haal die geld uit en tel dit. Daar is dertig duisend rand in nuwe note en vyftien duisend in oues. Sy skei hulle van mekaar, plaas die oues in een koevert en die nuwes in 'n ander. Soos by 'n vorige geleentheid, sal sy die ou note in haar bra versteek voor sy oor die grens gaan.

In die skemer wat vinnig toesak, ondervind Willem nie probleme om by die kompleks in te kom nie. Hy het drie blokke van daar af geparkeer, daarheen gestap en saam met 'n motor ingeloop. Hy glimlag toe hy sien die geel Peugeot 207 is reeds daar.

"Die mense dink hulle het sekuriteit," mompel hy vir homself terwyl hy in die donker oor die lae muurtjie klim. Hy loer versigtig deur die dun kantgordyn. Dit is die vrou wat hy volg. Hy maak gereed. Drie sekondes sal genoeg wees om vyftien foto's op outomaties te neem.

Willem voel hoe die adrenalien sterk in sy are pomp. Iemand het hom eenkeer betrap, daarom het hy sy ontsnaproete vooraf beplan. Die meenthuis langsaan, wat leeg staan, se voordeur is reeds oopgemaak. Daarna sal hy agter uitglip en deur die aangrensende kompleks teruggaan straat toe. Die infrarooiflits gaan vyftien keer af voor hy terugstap kar toe. Hy het haar.

Tuis gee Willem 'n lang fluit. "Drie beauties!" gil hy en druk die foto's in volkleur. Sal hy dit gaan vier? Hy skakel vir Rentia, maar hoor haar ek-is-nie-beskikbaar-nie-stem. Met 'n sug gooi hy die laaste Coke in sy brandewyn en begin sy verslag skryf. Hy noem elke datum en adres waar hy die vrou saam met die derde party gesien het en heg die foto's aan. Op sy tydstaat staan 15 uur. Willem besef die geld gaan nie genoeg wees om die Tazz se paaiement te betaal en tot die einde van die maand uit te kom nie. Sy volgende dop is 'n skoon dubbele. Hy sal 'n ander plan moet maak. Die leë brandewynbottel klap teen die kombuisdrom se kant voor hy kamer toe stap.

Eenuur die nag staan Michelle moedeloos op en begin weer lees in die *Sarie*. Haar oë fokus nie op die boek nie. Haar gedagtes bly by Sias. Die toneel van sy lewelose liggaam op die bankvloer in Andriesstraat wil nie wyk nie. Hoe lank gaan dit haar nog jaag?

Met 'n ferm tred stap sy doelgerig kar toe. Die Coke is nog daar. Dit het lankal warm geword, maar dit maak nie nou saak nie. Sy maak die blikkie oop en begin daaraan drink. Sy haat die smaak van Coke, tog hou sy aan drink. Af en toe stik sy daarin. Dit voel kompleet of dit sluk vir sluk ingewurg moet word. Eindelik is die blikkie leeg. Michelle voel beter, haar kop is nou skoon. Sias sal nie weer by haar spook nie.

Die volgende oggend verslaap sy. Dis halftien toe sy wakker word. Rondom haar oë is daar nog tekens dat sy gehuil het. Sy eet 'n bakkie aarbeijogurt. Skoon gebad en met swaar grimering om die oë, besluit sy op 'n jean en los toppie. Sy pak haar motor en hou stil naby die oord se bemarkingskantoor. Die verkoopsman is vriendelik en sê hulle het nog heelwat tyddeelweke beskikbaar. Michelle koop 'n rivierfront-chalet vir 'n week vroeg in Junie en gebruik die nuwe note om daarvoor te betaal.

Laat die Sondagmiddag bespreek Michelle 'n kamer in die hotel by die Pigs Peak Casino.

"Can you get me some value chips for the tables, please."

"Yes, ma'am, how much do you want?"

"Fifteen thousand will be fine. Make them all five hundreds, will you?"

"Yes, ma'am. I'll send them up."

Sy betaal met die ou note en volg die portier na haar kamer. Nie lank nie of daar is 'n klop aan die deur.

"Your chips, ma'am."

Sy gee 'n ruim fooitjie toe 'n bondel casino-skyfies aan haar oorhandig word.

Ná aandete speel sy roulette. In die begin vaar sy swak en verloor vyf keer ná mekaar. Die sesde keer wen sy groot.

"Give me value chips, please." Sy kyk hoe die skyfies afgetel word en stap na die kassier toe.

"I would like to cash in."

Die vrou verduidelik dat sy 'n tjek sal moet laat uitreik. Michelle sê sy sal wag, sy is nie haastig nie. Sy voel in haar skik, 'n casinotjek kan sy enige plek bank.

Willem draf teen 'n vinniger pas as by Badplaas. Kry die brandewyn uit jou lyf, kry die brandewyn uit jou lyf, dreun dit in sy kop. Dis toe dat die gedagte by hom opkom dat sy kliënt se vrou ook in die foto's mag belangstel. Miskien betaal sy meer as haar man. Hy voel sy bene moeg word. Vasbyt, lekker nou, vasbyt, lekker nou.

Terug tuis en klaar gestort, gaan sit hy voor die rekenaar en voltooi die faktuur. Daarna bel hy. Dis 'n vroue-stem wat sy oproep beantwoord.

"Mevrou, ek is Willem Lotriet, 'n privaatspeurder," begin hy. "Jou man het my opdrag gegee om jou dop te hou. Voordat ek my verslag aan hom oorhandig, wil ek jou die geleentheid gee om daarna te kyk."

Sy antwoord dat hy dalk 'n verkeerde nommer geskakel het, maar klink nie baie oortuigend nie.

"Mevrou, ek dink jy sal veral belangstel om die foto's te sien wat ek gisteraand by Park Mews geneem het." Willem hoor hoe dit stil raak aan die ander kant.

"Is jy nog daar?"

"Waar kan ek jou ontmoet?"

"Ek het geweet jy sal wil besigheid praat."

8

John Lombard kyk na homself in die spieël. Tussen sy ligbruin hare is daar 'n paar gryses. Heeltemal te vroeg vir 'n man van een en dertig. Miskien moet hy dit laat kleur, maar wie sal hy tog wil beïndruk? Daar is net Anja en dit lyk of hy dit reeds reggekry het. Sy sterk ken is vol skeerroom; nie 'n krieseltjie vet om sy middel nie en sy spiere is goed gevorm. Meganies voltooi hy die skeerproses en borsel sy tande. Hy soek 'n pak klere uit en trek aan. In die kombuis neem hy graankos vir ontbyt, maak die deur oop en laat sy brakkie, 'n foksterriër, inkom.

"Is my honne honger?" gesels hy met hom en sien hoe Oubaas sy stertjie swaai en bokspring van pure blydskap oor die aandag. John haal sy bakkie van die rak af en gee vir hom 'n porsie geblikte vleis saam met 'n skep hondepille. Hy lag toe die hond die vleis bloot insluk en wonder of hy dit ooit kon proe.

Die telefoon lui. Dis sy ma.

"Baie geluk met jou verjaardag, my kind. Hoe oud is jy nou weer vandag? Ek en jou pa stry al van vyfuur af. Hy sê dis dertig en dis eers môre. Toe gaan haal ek maar die boekie uit en wys vir hom. Kom jy huis toe die naweek?" sê-vra sy alles in een asem.

"Miskien Saterdagaand, Ma. Ek gaan eers na Phil toe vir die dag. Ma onthou mos vir Phil."

Sy pa gesels ook 'n rukkie met hom. Hy vertel dat die stoet hom nou begin baasraak en dat hy daaraan dink om hulp te kry. Dit laat John wonder of sy pa se testament nog steeds sê dat sy neef die plaas gaan erf. Hy hoop Willem kry Sanet gou. Dit sal help om sy pa te oortuig dat hy die waarheid vertel het.

Bykans direk nadat hy die telefoon neergesit het, lui die voordeurklokkie. Hy maak oop en sien Anja se navy blou pakkie met die eerste oogopslag raak. 'n Vrou wat so aantrek sal beslis sy korporatiewe beeld ondersteun, dink hy en hoop nie sy steek dit by die hospitaal onder een van daardie aaklige wit jasse weg nie.

"Ek is op pad om hospitaalrondes te doen en het besluit om gou die verjaardagman te kom gelukwens."

John kry 'n klapsoen en 'n pakkie. Hy loer daarin.

"Hêi! Biltong! Dankie." Hy gee haar 'n druksoen.

"Maar sê my, hoe't jy geweet ek verjaar vandag?"

"Jy sal verbaas wees. Ek weet alles." Anja sit haar arm om sy lyf en druk hom.

"Nee, toemaar, jou ontvangsdame het die geheim uitgelap, maar jy sal my moet verskoon. Ek is regtig haastig om by die hospitaal uit te kom."

John stap saam tot by haar motor.

"Sal ek jou sewe-uur kry? My verjaardag moet gevier word." Meisiekind, vanaand gaan jy hop, dink hy en voel hoe sy haar teen hom vaswurm terwyl hy haar soen.

"Ek wag vir jou," fluister sy.

Lombards Personnel huur kantore in die FNB-sentrum in Fredmanweg, Sandton. Saam met John is daar 'n ontvangsdame, twee klerke, drie personeelkonsultante en 'n dame wat die bemarking hanteer. In sy kantoor neem John 'n lêer van die hopie af en bestudeer die gegewens op die CV. Coen Swarts is 'n programmeerder met heelwat ondervinding van die finansiële sektor. Hy soek dringend werk. Die bank waar hy gewerk het, het ses maande gelede met 'n ander een saamgesmelt en hom 'n pakket gegee. John het nogal empatie met sy situasie. 'n Blanke, Afrikaanssprekende man met 'n ouderdom van vyftig kry deesdae nie maklik werk nie. Almal soek mos net AA-kandidate. Dit maak nie saak of die kwalifikasies en ondervinding toepaslik is nie, dis polities korrek. Hoe ironies, dink hy en kry lus om te lag, ten minste klink sy van reg. John tel die telefoon op en skakel ontvangs se nommer.

"Stuur maar meneer Swarts deur, ek is gereed vir hom."

Coen Swarts is skraal gebou en dra 'n donkerraambril. John wonder of hy 'n rasegte computer nerd is. Die onderhoud verloop presies soos hy verwag het. Hy het te doen met iemand wat platgeslaan is en dit nie kan bekostig om sonder werk te sit nie. Hulle het 'n kind op universiteit wat ondersteun moet word en, om alles te kroon, 'n huis wat in aanbou is. John weet dat 'n halfgeboude huis nie vinnig verkoop nie.

Nadat hulle gesels het, beveel John aan dat daar veranderinge aan Coen se CV gemaak word.

"Meneer Swarts, jy moet jouself beter bemark. Die kwaliteite wat ek in jou kan raaksien, kom bykans nie een in jou CV uit nie. Jy moet onthou, 'n CV is al wat iemand het om te besluit wie vir onderhoude genooi gaan word. Ons sal jou hiermee kan help, een van my dames is 'n spesialis daarmee. Vra net by ontvangs om haar te sien. Daarna sal ek dit persoonlik verder vat."

Coen Swarts groet vriendelik en bedank John vir sy raad en bystand.

John maak die lêer oop, skryf sy kommentaar daarin en plaas dit in die vakkie vir kredietrekordnavrae.

Die res van die dag sien John verskeie ander werksoekers. Fok, dink hy teen huistoegaantyd, as hy 'n kwart van die mense wat hy die afgelope twee weke gesien het kan plaas, gaan dit 'n uitstekende maand wees.

Twee kilometer daarvandaan staan Willem in die ry om mevrou Johnson se tjek te bank toe hy hom bedink. Hoe kan hy verwag mense moet hom vertrou? Erger nog, hy het John as 'n skelm aangesien. Nou is hy sélf een. Dit voel of die tjek 'n gat in sy hempsak brand. Hy verlaat die bank sonder om dit te doen en ry.

In Chris Johnson se kantoor tel Willem sy tjek op, maar kry dit nie reg om hom in die oë te kyk nie. Gee dit terug.
"Wat is fout, wil jy nie my geld hê nie?"
"Meneer Johnson, ek kan nie jou tjek vat nie. Veral nie ná wat ek jou amper aangedoen het nie."
Hy sien Chris Johnson se kop agtertoe trek.
"Ek verstaan nie."
Willem haal die vrou se tjek uit sy hempsak en skuif dit oor die lessenaar.
Chris Johnson tel die tjek op en kyk daarna.
"Ek hoop nie my vermoede is reg nie."
Willem kyk af en knik sy kop.
"Ek dink dit is."

Neville voel verveeld. Die beurs is stil en baie min van sy kliënte gee opdragte. Hy wonder hoe Michelle met die deposito's gevaar het. Sy sal haar gat in rat moet kry en die geld vinniger bank. Daar behoort nog amper R2 000 000 in die veilige bewaringsloket te wees. Teen die huidige trant van R150 000 per maand gaan dit nog ten minste 'n jaar neem om al die geld te bank. Hy dink weer aan die vulstasie wat hy wil koop. Sy vriend het gesê die kleingeld wat uitgedeel word, is meestal tien-randnote. Dit kan baie help om van die ou kontant ont-slae te raak. As hy die plek in Kempton Park vir homself koop, hoef Michelle nie in die wins te deel nie. Miskien moet hy met haar bargain om van die ou geld teen 'n ver-minderde waarde oor te neem.

Lelane, die ontvangsdame, bring sy pos in. Neville skud sy kop toe haar kort rokkie sy oog vang wanneer sy uitstap. Die jonges laat nie veel aan die verbeelding oor nie, dink hy. Hy begin die pos deurwerk. Behalwe een na-vraag rakende tariewe vir die bestuur van 'n portefeulje, is daar net vensterkoeverte. Een is van die aandelemake-laar met state en fakture, terwyl die ander koeverte net die maandelikse rekeninge bevat. Telefoon, elektrisiteit en sy persoonlike kredietkaart. Hy kontroleer die make-laar se maandstaat. Alles is duidelik en verstaanbaar. Hy hou van die bladuitleg en roep Duart binne.

"Kyk vir my na hierdie state," sê Neville en gee die makelaar se maandstaat vir hom aan.

"Dink jy dit gaan moeilik wees om ons fakture en maandstate presies dieselfde uitleg te gee?"

"Ek dink nie so nie, meneer," antwoord Duart nadat hy daarna gekyk het. "Ons gebruik mos SAP en 'n goeie programmeerder sal dit maklik kan doen. Hoekom vra meneer?"

"Ons kan beter doen vir ons kliënte. Alles hierop is soveel beter uiteengesit as op ons s'n." Dat hy iets anders in gedagte het, sê Neville nie. As hy die makelaar se state kan onderskep en met selfgedruktes vervang, kan hy nog meer geld vir homself maak. Hy sal ook die tweede re-kening wat hy sonder Michelle se wete geopen het kan verdoesel.

"Meneer besef natuurlik dat ons in so 'n geval nuwe drukwerk sal moet gebruik."

"Ja, ek het reeds daaraan gedink, maar dit sal nie soveel kos nie. Dis ook nie waar dit gaan stop nie. Ek dink daaraan om nog 'n besigheid te koop en sal ook wil hê dat die twee besighede se rekenaars in 'n netwerk gekoppel word."

"Dit is werk vir 'n spesialis, Meneer. Netwerke is nie maklik om op te stel nie. Maar watse besigheid is dit?"

"Ek wil 'n vulstasie koop. 'n Vriend van my by die gholfklub sal my help om dit aan die gang te kry. Maar vergeet dit nou eers. Stel vir my 'n posbeskrywing op vir 'n programmeerder en sirkuleer dit by die drie grootste personeelagentskappe."

Duart haal dadelik sy pen uit en trek Neville se krapblok nader.

"Hoe gou wil meneer 'n aanstelling maak en in watter prysklas moet ek soek?"

Neville trek sy een oog effens toe.

"Vind uit wat is markverwant, dan kyk ons maar wat kry ons. Maak die vergoeding onderhandelbaar."

"Meneer kan maar sê dis gedoen. Is dit al, meneer?"

"Nee," sê Neville en gee vir hom 'n koevert. "Die beloning vir jou goeie werk."

Duart maak die koevert oop. Sy gesig straal toe hy in die brief lees dat sy salaris met agt persent verhoog word.

"Dankie, meneer, dis great. My vrou gaan net so bly wees. Ons het gister gehoor sy gaan 'n baba hê. Dit sal ons eerste wees," vertel hy terwyl die trots duidelik op sy gesig te sien is.

Terug by sy lessenaar spring Duart dadelik aan die werk met die opstel van 'n posspesifikasie. Hy skryf eers 'n paar hoofpunte neer en brei daarna op elkeen uit. Die soekenjin op die internet lys baie name. Die feit dat die agentskappe se name gelys word na aanleiding van die aantal klikke na hulle onderskeie webruimtes, vergemaklik sy taak. Hy kies die drie boonstes. Quest Personnel, Lombards Personnel en Immanuels. Hy kry die kontakbesonderhede vanaf hulle webruimtes en stuur die versoek per e-pos weg.

Op pad huis toe hou Michelle in Ermelo stil. Sy bank die casino se tjek in haar persoonlike bankrekening en plaas R20 000 oor na die besigheid se rekening. Sy gooi brandstof in en pak die terugtog huis toe aan. Daar bly amper twee en 'n half uur se ry oor. Sy dink aan John. Hoekom juis vandag? wonder sy en hoop hy dink ook soms aan haar. Die kilometers en vaal landskap wat tipies van vroeg Oktober op die Hoëveld is, flits verby. Sy is amper op Bethal toe sy onthou dis John se verjaardag. Sy weet hy is nog nie getroud nie en wonder hoe hy sal reageer as sy vir hom 'n subtiele boodskap stuur.

In Bethal ry deurverkeer nie deur die sakegedeelte nie. Sy draai af in die rigting van die winkels. Die Spar is klein, maar bied 'n wye keuse. Michelle neem 'n bottel Allesverloren Cabernet Sauvignon van die rak af, kry 'n verskeidenheid aantreklik verpakte kaas en 'n lekker groot stuk, ongekerfde beesbiltong. Sy koop ook 'n mandjie.

Terug in Johannesburg pak sy af, neem die mandjie en sit die biltong, kaas en wyn daarin. Sy haal 'n kaartjie uit die buffet se boonste laai en skryf John se naam en kantooradres op die koevert. Sonder om iets in die kaartjie te skryf, sit sy dit in die koevert. Op pad kar toe pluk sy drie geel magrietjies in haar tuin en dit kom heelbo in die mandjie. Sy is seker dat John sal weet van wie die geskenk kom.

Sy parkeer by die FNB-sentrum en loop na die ingang. Die sekuriteitswag se stem is vriendelik. "Can I help you?"

"Yes, please. You can deliver this to room 315. I am

in a bit of a hurry. Thank you." Sonder om te wag op 'n antwoord laat sy die mandjie by hom, draai om en loop weg.

John is bly dat hy op Plaka as eetplek besluit het. Hulle Mediterreense geregte val in sy smaak. Die plek se atmosfeer is tipies Grieks. Hy hou daarvan omdat dit baie huislik voorkom. Alhoewel hy graag by Plaka kom, is hy spyt hy het nie 'n restaurant met 'n dansbaan gekies nie; hy sou Anja baie graag vanaand wou druk. Hy sal maar sy lus daarvoor bêre vir aflaaityd. Beter nog, dink hy, sy sal hom mos nie sonder koffie laat huis toe gaan nie.

Sanet kry ook plek in sy gedagtes. Dit kan net sy wees wat die pakkie by sy kantoor laat aflaai het. Wie anders sou geweet het van die drie geel magrietjies?

Anja wonder hoekom die gesprek nie vlot nie. Ten spyte van die lekker kos, die atmosfeer binne die restaurant en die feit dat sy baie moeite met haar voorkoms gedoen het, is John stil. Sy probeer haar bes om hom aan die praat te hou, vra uit na sy dag op kantoor, vertel van die moeilike geval by die hospitaal, maar verniet, sy geselskap is nie dieselfde as ander aande nie. Sy het al begin wonder of sy dalk iets verkeerds gesê of gedoen het, toe Zorba se dans begin speel. Haar voete jeuk. Dankbaar sien sy die verandering aan sy gesigsuitdrukking en voel sy hand op hare. Hy glimlag innemend en kyk haar reg in die oë. By die gedagte dat sy graag daardie groot hand oor haar lyf sal wil voel streel, bloos sy. Sy hoor skaars toe hy vertel hoe hy uitsien na die kuier by sy boesemvriend die komende naweek. Die twee van hulle gaan visvang, waarna hy vir sy ouers op die plaas gaan kuier. Hy vertel ook dat hy dit oorweeg om 'n nuwe motor aan te skaf. Anja is nog verwonderd oor die skielike ommekeer in John se

63

houding, toe hy oorleun na haar kant toe en haar oor die klein tafeltjie nader trek vir 'n soen.

"Meisiemens, jy lyk pragtig vanaand."

Anja voel kloppings deur haar hele lyf. Dit gebeur nie aldag dat 'n man vir haar sê sy lyk mooi nie. As hy so is soos nou, sal sy nie omgee om hom vroegoggend in haar badkamer te sien staan nie.

"Koffie?" versteur hy haar gedagtes.

"Ja, donker Griekse koffie. Ek is gek daaroor."

In die blinknat straat pas haar skouers onder sy armholte. Hy sal alles gee wat hy het om haar in die reën te soen terwyl die water koel op hulle gesigte spat. Anja, Anja, Anja, dreunsing dit in sy kop. Hy kan haar lyf warm onder sy hand voel wat hy agter onder haar toppie insteek. Hy trek haar stywer teen hom vas. Die verbygaande motor se toet laat hom wonder of dit 'n groet was van iemand wat hom herken het, of dalk 'n aanduiding dat die knop in sy broek gesien kan word.

"Het ek iets verkeerds gesê dat jy so stil is?" vra Anja op pad na haar woonstel.

John weet hy sal moet antwoord, maar hoe kan hy vir haar sê waaraan hy gedink het?

"Ek het aan jou gedink." Hy loer onderlangs na haar en sien haar nuuskierig na hom kyk.

"Wat van my? Mmm?"

Sy laggie klink vir homself verbouereerd. "Ek sal jou anderdag sê."

"No ways! Jy kan my nie so in suspense hou nie!"

"Ek het gewonder of jy ernstig draf."

"Aag, toe nou. Wat laat jou dit wonder?"

"Dit," sê hy, vryf haar bobeen en sug hard.

"En wat nog?" vra sy blinkoog.

"Nee, ek gaan nie sê nie."

John verwissel die ratte en vat die stuurwiel met albei hande vas.

"John?"

"Mmm?"

As hy maar net weet hoe lekker dit vir haar is om raakgesien te word, dink sy, maar hy sal dit seker nie verstaan nie. Mans is te fisiek ingestel. Sy haal John se hand van die stuurwiel af en sit dit op haar been.

"Ek hou daarvan as jy aan my raak."

Laataand by sy huis laat die mandjie, wat steeds op die kombuistafel staan, hom van Anja vergeet. Hy tel die bottel wyn op, sit dit in sy wynrak. Sanet is die enigste een wat weet Allesverloren is sy gunsteling-wynlandgoed. Sy weet ook hy is dol oor kaas. Met die stuk biltong en 'n knipmes in sy hand gaan sit hy in die woonvertrek. As sy met die geskenk probeer sê sy wil hom terughê en die geld het, of weet waar dit is, sal dit vir hom moeilik wees om te kies. In so 'n geval sal hy moet fyn trap om nie alles tussen hom en Anja te befoeter nie.

9

Willem kry maklik die kleinerige kompleks waar JHB Micro Lenders se kantoor is. Hy moet 'n entjie verbyry voor hy parkeerplek kry. Met sy kamera om die nek stap hy oor die straat in die poskantoor se rigting. Op die deur langs die deli sien hy die naam wat hy soek en stoot daaraan. Dis gesluit. Hoe doen mens besigheid as jou shop tienuur in die oggend nog toe is? Met sy hande rondom sy gesig, druk hy sy neus plat teen die venster om in te loer. Die kantoor is klein. Daar is 'n liasseerkabinet, 'n lessenaar met 'n telefoon daarop en twee ekstra stoele. Hy kyk verder, sien 'n sekuriteitsoog en besluit om by die deli meer te probeer uitvind.

"Môre, hoe laat maak hulle oop?" vra Willem vir die vrou agter die toonbank en beduie met sy duim in die rigting van JHB Micro Lenders.

"Baie min. Ek weet nie hoe sy 'n bestaan kan maak nie, want daar is nooit meer customers nie. Toe die swart man nog hier was, het hulle tou gestaan om daar geld te leen, maar die laaste paar maande kom sy net party dae. Meestal op 'n Dinsdag, maar nie altyd nie."

"Dis seker haar hoofkantoor."

"Haai weet jy, dit kan wees. Sy is gewoonlik alleen.

Partymaal kom daar so teen elfuur 'n jong man met 'n pak klere ook. Dan kom koop sy hier middagete en voor twee-uur maak sy weer toe."

"Hoe lyk sy?" vis Willem verder.

"Sy is blond met lang hare en baie mooi. Dis net jam-mer van die skerp neus."

"Is dit sy?" vra Willem en haal die koerantfoto uit sy hempsak.

"Dis net sy, maar hoekom vra jy?"

Willem kan sien sy is nuuskierig.

"Ek doen 'n artikel oor een van haar eks-boyfriends en hoop sy kan help om van die gaps in te vul."

"My jitte! Vir watter koerant werk jy?"

"Ek freelance." Willem kyk rond. "Haai, ek chat te veel. Het jy vars pies?"

Die veranderende posisie van die son veroorsaak dat Wil-lem sy motor, vanwaar hy Sanet se kantoor dophou, twee keer moet verskuif om in 'n skadukol te staan. Teen drie-uur besluit hy dat Sanet nie daardie dag gaan kom nie. Skakel sy Tazz aan en ry huis toe. Aan dae soos hierdie is hy al gewoond. Willem Vasbyt Lotriet sien dit nie as on-suksesvol nie. Inteendeel, dit spoor hom net verder aan om nie moed op te gee nie. Dít bestaan nie vir hom nie.

Neville nader Kempton Park van die lughawe se kant af. Die nota met aanwysings op sy skoot help dat hy die ei-endomsagent se plek kry sonder om een keer verkeerd te ry. By die ingang druk hy die klokkie en hoor die buzz-geluid wanneer die veiligheidshek se slot oopgaan. Hy stap die stel trappe op en moet 'n rukkie wag voordat hy ingeroep word.

Hy kan dadelik sien hy het te doen met iemand wat deeglik is. Die agent het 'n lêer beskikbaar met amper alles wat hy wil weet. Daar is foto's van die motorhawe, 'n stel finansiële state en 'n handgeskrewe verslag wat getuig daarvan dat sy die plek self geïnspekteer het. Op een van die foto's sien hy 'n taxi wat brandstof ingooi. Die QuickShop lyk goed toegerus en die finansiële state wys dat die plek goed doen. Die maandelikse pompsyfers toon dat meer as driehonderd duisend liter brandstof verkoop word. Hy maak 'n vinnige berekening op 'n sakrekenaar. Die bruto wins klop met die omset in liters. Hy spandeer 'n halfuur om die state deur te werk terwyl hy kort-kort vrae vra. Die agent vertel dat die huidige eienaar gesondheidsprobleme ondervind. Hy kan nie meer sy hand op die plek hou nie en wil daarom verkoop. Die plek het ook 'n werkswinkel wat nie op die oomblik gebruik word nie. Sy sê verder dat sy maklik 'n huurder daarvoor sal kan vind. Dít en 'n diens soos die ruil van bande en herstelwerk aan uitlaatstelsels behoort nog meer klandisie te lok.

"Kan ons na die plek gaan kyk?" vra Neville tevrede.

Die sakekompleks langs die vulstasie is baie besig en die parkeerruimte is amper vol. Neville voel in sy skik toe hy sien hoeveel van die pompjoggies besig is. Binne die winkel is twee kassiere. Een hanteer die rybaanprodukte, terwyl die ander kassier na die winkel se kliënte omsien. Tussen die rakke loer Neville onderlangs na hom. Hy beman nie net die kasregister nie, dit lyk of hy ook die kliënte vir potensiële diefstal dophou. Neville soek die kaartmasjien. Hy gaan na die toonbank en vra die kassier uit oor die verhouding tussen kontant en kaarttransaksies.

"I don't know, sir. You must ask the owner."

Op daardie oomblik maak die ander kassier sy geldlaai bykans leeg, plaas die note in 'n sak en laat dit in 'n gleuf val. Veiligheidsmaatreëls, dink Neville, die kassier het waarskynlik 'n maksimum kontantvlak.

Terug by die agent se kantoor bespreek Neville die moont-
likheid van 'n aanbod, besluit op 'n bedrag en voltooi die
aanbodvorm. Omdat hy 'n groot bedrag in die vorm van
finansiering benodig, stel Neville voor dat hulle by al
die groot banke aansoek doen. Hy moet 'n deposito van
R200 000 gee en hoewel hy weet daar is nie genoeg geld
in sy rekening nie, skryf hy 'n tjek uit.

"Sodra die verkoper geteken het, kan jy dit bank in 'n
trustrekening."

In sy motor skakel Neville sy makelaar.

"Ek het dringend R200 000 nodig," sê hy. "Waar staan
Billiton se prys nou?"

"R195 00."

"Verkoop vir my 'n R1 100 en betaal dit oor in die nom-
mer 2-rekening by die bank."

Neville kry so lekker krieweling toe hy van die nom-
mer 2-rekening praat. Michelle weet nie daarvan nie. Hy
het die rekening op sy eie by 'n ander tak van die bank
geopen. Tot nou toe het hy gereeld transaksies, waarvan
hy die grootste deel van die wins in sy persoonlike re-
kening stort, hierdeur gekanaliseer. Omdat die firma nog
altyd wins maak, kom Michelle dit nie agter nie. Hy besef
dat hy voor die einde van die maand die aandele sal moet
terugkoop. Dit pla hom nie veel nie, die banke is deesdae
vinnig om krediet toe te staan. Sodra die lening deur is,
sal hy daarvan gebruik. Wat hom meer pla, is dat Billiton
se prys kan styg. Vir die eerste keer in sy lewe hoop hy
dat die aandelebeurs val. Dan sal hy die aandele goed-
koper kan terugkoop. Neville grinnik. Hy moet onthou
om vir Duart te vra of sy program dít ook kan voorspel.

10

Saterdagoggend, lank voor die son opkom, pak John sy bakkie. Hy sit sy vistoerusting, kampstoel en naweektas op die bak. Die bakkie se ligte is net-net sterk genoeg om die pad te verlig. By Hennops stamp die bakkie erg op die swak padoppervlak. Hy sou graag die aalwyne wou sien, maar dis nog te donker. Sy gedagtes dwaal na Sanet. Hoekom het sy hom destyds nie vertel waarmee sy en Sias besig was nie? As hy dit geweet het, sou hy in die opbrengs kon deel en geweet het om weg te ry, eerder as om uit die kar te klim. Vies bal hy sy vuis en slaan hard op die bokant van die paneelbord. Sy moet die geld hê. Hoekom anders sou sy net verdwyn het? Hy slaan weer 'n hou, harder dié keer, en wonder of Willem enige vordering maak. Dink weer dat sy met die geskenk wil te kenne gee dat hulle weer voor moet begin.

"No fokken ways!" roep hy hardop uit. "Sy het haar kans gehad."

Daar is heelwat water in die rivier. Die Vaalkopdam, wat 'n paar kilometer stroomaf is, sorg dat daar altyd baie water op hierdie plek is. Dis nou vier jaar dat John saam met Phil hier kom visvang en net een keer was die rivier se loop baie smal. John glimlag omdat hy eerste daar is. Hy soek 'n lekker stilhouplek en begin afpak. Sy lyn is reeds in die water toe Phil daar aankom.

"Môre, het jy al iets gevang?"

"Nee, en ek hoop nie die dag vorentoe gaan so stil wees nie. My ma sal baie graag 'n karp of twee wil hê."

"Het jy lekker verjaar?"

"En hoe!"

John weet Phil kampeer baie. Met dié dat hy gereeld woonwa sleep, dink hy aan items wat John sou vergeet, of dalk nie het nie. Hulle slaan 'n gazebo op vir skaduwee en steek 'n gasprimus aan vir koffie.

John hou die swaaibeweging waarmee Phil sy lyn ingooi, dop. So maklik, dink hy en wens hy kan ook so ver gooi. Phil sit sy visstok bo-op twee mikkies neer en span die lyn styf. 'n Stukkie pap vir 'n polisieman voltooi sy ritueel.

Hulle sit in stilte.

Iets roer by John se lyn. Die polisieman beweeg op en af. John hurk by die visstok. Toe die lyn mooi styf trek, tel hy die stok op, staan met vinnige treë 'n paar meter agteruit en kap. Hy kan voel dis raak en sien die stok se punt buig. In die begin kry hy die katrol se slinger maklik gedraai, maar hoe nader die vis aan die oewer kom, hoe stywer voel John sy boarmspier bol terwyl hy sukkel om die vis in te bring.

"Dis 'n fris een hierdie!"

John sien die rimpels op die water soos die vis draaie en swaaie maak. Phil spring in met 'n skepnet en help om die vis uit te haal.

" 'n Mooi karp. Maklik twee kilogram," sê Phil.

John glimlag breed toe hy die vis in die hounet sit.

"Ek het nog nie baie van hierdie size gevang nie."

Tussen die gesels en visstok dophou, is elkeen met sy

eie gedagtes besig. Soms verloop meer as 'n halfuur voordat een weer praat.

"Wat droom jy so? Jy het al twee byte gemis," moet Phil later opmerk.

"Is dit so obvious?"

"Shit, as jy jouself kon sien, sou jy dit ook opmerk. Wat ry jou vandag, hè?"

"Sanet."

Die polisieman aan Phil se lyn wip op en af. Met sy oë op die stukkie pap, hurk hy langs sy stok. Sy hande is reg om dit op te tel. Die pap skiet weer op, sak laag af en bly stil hang. Phil skud sy kop en gaan sit.

"Ek sê weer: los haar uit. Daai girl is bad news."

"Se moer. Pel, ek sê jou, ek sal haar soek tot ek haar fokken kry. Wie dink jy het destyds daardie trommel onder my bed gesit? Nie ek nie. Dit was net ek en sy wat sleutels vir die woonstel gehad het. Ek glo sy was in elk geval op die punt om 'n kraak te maak en het vooraf van haar klere weggevat. Toe dinge skeefloop, het sy net vroeër gewaai. Dis al." John se adamsappel beweeg op en af.

"En waar dink jy het die polisie my XR6 se nommer gekry? My pa glo vandag nog dit was alles my idee en ek wil dit regstel."

"Shit, John, jy grou nou weer diep in die verlede. Ek meen, dit gaan jou net van voor af laat seerkry."

"Kak!" John beweeg nader aan sy visstok. Die stukkie pap voor aan die lyn sak terug. Hy gaan weer sit.

"Die feit dat my onderneming floreer, beteken nie alles is wat dit moet wees nie. Ek wil ook 'n lewe weg van die werk hê. Net toe ek dink dit wil begin rigting kry, stap sy weer terug in my lewe. Voor sy alles opfok, moet ek haar kry. Nee, pel, sy sal moet praat. Ek kan ook nie toelaat dat daar iets tussen my en Anja ontwikkel terwyl ek in Sanet se skaduwee leef nie."

"Anja?" vra Phil verbaas.

"Hêi pel, sy is oulik. Ek ken haar nou drie maande. Sy is gaaf en ek hou van haar. Ek wou haar saamvat plaas toe, maar sy spoed die naweek."

John raak weer stil. Phil hoop hy sal meer vertel, daarom torring hy nie aan hom nie.

"Dis nie al nie. Vroeër die week kry ek 'n mandjie met kaas en wyn. As dit nie Sanet is wat dit gestuur het nie, vreet ek my hoed op."

John bly weer stil. Dit lyk vir Phil of John nie die visstok raaksien nie, want die pap spring op en af, maar hy beweeg nie.

"Cabernet Sauvignon, met drie geel magrietjies daarby. Shit, pel, dit kan net sy wees. Allesverloren nogal en die magrietjies. Dit kan nie toeval wees nie."

Phil sê steeds niks.

"Ek het haar laas gesien toe ek haar voor die bank afgelaai het. In tien jaar nie weer nie. Toe die sake-ontbyt en nou stuur sy vir my 'n verjaardagpresent. Dink sy dalk ek sal haar terugvat? Sy moet fokken mal wees."

Phil tel sy visstok op. In dieselfde beweging kap hy en trek die vis in.

"Ag nee, hy's te klein," sê hy en gooi die vis terug in die water. "Kom byt weer as jy mooi groot geword het," roep hy die vissie agterna. "Kom ons eet 'n stukkie."

John sit 'n frikkadel, twee gebraaide hoenderboudjies en 'n toebroodjie met kaas en tamatie in sy papierbord.

"Ek weet nie of Anja sulke lekker eetgoed soos jou vrou sal kan maak nie. Sy eet sweerlik net pre-cooked goed. Shit, dit sal maar skyt om nie kookkos te eet nie." Hy sug. "Ek sal die huishulp moet hou; ten minste kan sy kook én stryk."

"Lyk my jy het 'n pot shot weg."

Hy lag saam met Phil. "Jy's fokken reg."

73

Dit is baie warm en drukkend toe John vroegaand by die plaas naby Koedoeskop indraai. In die suide sien hy die weer opsteek. Hy hou onder 'n boom op die werf stil en haal sy naweektas van die bak af. Sy ma kom aangestap en hy wonder hoekom dit lyk of sy swaar loop.

"Jou pa lê al heeldag," sê sy. "Ek weet nie wat hom makeer nie."

Hulle loop saam na binne. John sit sy tas neer en gaan groet sy pa. Hy is bly toe sy pa 'n slag lekker met hom gesels. Hulle verhouding is wel besig om te verbeter, maar is nog nie soos wat John dit wil hê nie.

Die weer se dreuning laat sy pa se oë venster toe draai. "Ek hoop ons kry reën, dit was 'n droë winter en die voer raak min."

John eet later sy aandete op die stoel langs sy pa se bed.

"Dit lyk of hy slaap," fluister sy ma. "Kom ons gaan kombuis toe."

Daar kuier hy lank met haar. Hulle gesels oor die plaas en sy pa wie se gesondheid besig is om agteruit te gaan. Hy vertel haar van Anja.

Die bliksemstraal wat baie naby slaan, laat die ligte flikker. Nog 'n paar blitse klief deur die lugruim.

"Ek wil gaan kyk hoe lyk jou pa, dan kruip ek sommer in."

John staan ook op. "Nag, Ma."

In sy kamer verklee John in 'n oefenbroek, skakel die lig af en klim in die bed. Die een kussing hou hy vas terwyl hy op sy linkersy draai. Buite is die storm hewig en die reën tref die ruite hard.

Teen elfuur lê hy nog wakker. Die gebeure van die afgelope week bly in sy gedagtes. Hy probeer om aan sy en Anja se verhouding te dink, maar telkens is dit Sanet wat opdoem. Hy weet hy moet haar vergeet, maar ook dat hy die regte ding om na haar te soek.

Weerlig flits nog veraf, maar die reën het opgehou.

Kaalbors stap hy by die kombuisdeur uit. Die maroelaboom is duidelik sigbaar in die nag. Met sy linkerhand voel John die uitgesnyde letters in die nat bas. 'n J en 'n S. Hy vee met die agterkant van sy ander hand onder sy oë, kyk op en staan lank so. Doodstil.

"God," kom dit huiwerig oor sy lippe, "hoe vergewe mens as jy nie eers weet hoe om te bid nie?"

Michelle is tuis, besig om die firma se maandstate deur te gaan. Op 'n los vel papier maak sy notas om met die boekhouer te bespreek. Sy wil weet hoe dit werk dat die kontantvloei verbeter terwyl die wins kleiner is en hoe dit kan gebeur dat die aandele wat hulle in voorraad het se waarde laer is ten spyte van 'n sterker beurs. Op 'n tweede vel papier doen sy berekeninge. Net die helfte van die wins word tussen haar en Neville verdeel. Die ander helfte word in die besigheid gelaat om groei te stimuleer. Sy skakel in op die internet en doen die oorplasing na Neville se rekening. Haar eie word gedeel tussen drie rekeninge: haar gewone rekening, die geldmarkbelegging en Louise, haar dogter, s'n. Op 'n paar rand na het sy reeds R600 000 gespaar. Saam met haar deel van die aandele is dit net-net meer as R2 000 000. Miskien moet sy weggaan. Sy het genoeg geld om uit die inkomste van haar mikroleningsbesigheid 'n bestaan te maak. Dis nou as Dumesani haar bly help. Die gedagte dat sy in so 'n geval nie nog van die kontant in die loket sal kan benut nie, laat haar besluit om gedurende die volgende ses maande soveel as moontlik daarvan te gebruik voor sy 'n besluit neem. Sy staan op en gaan sit voor die TV.

Die mense wat sy ken, kan sy byna op haar een hand se vingers tel. Haar bure, boekhouer, die aandelemakelaar en Dumesani. Sy kan dit nie waag om vriende te hê nie.

Almal sal wil weet wat sy vir 'n lewe doen. Behalwe vir Neville weet sy nie eers hoe een van die personeel in haar eie besigheid lyk nie.

Om sonder 'n man te lewe het sy voordele, maar soms raak dit alleen. In Londen was daar mans. Nie een van hulle was goed genoeg nie. Sy sal met John tevrede wees. Miskien moet sy hom kontak. Maar sal hy haar terugvat? Hulle het vir tien jaar nie kontak gehad nie. Dat haar optrede destyds aan verraad gegrens het, kom nie in haar gedagtes op nie. Veel eerder glo sy dat die geld wat sy in 'n huishouding kan insit vir hom, soos vir enige ander man, welkom sal wees.

Deur die TV-kamer se gordyn sien sy die flitse nader kom.

Pretoria beleef 'n donderstorm.

"Johnny, ek is bang." Sy staan voor John se bed en krimp ineen saam met die geweld van die donderslag.

"Kruip in, ek sal jou vashou."

Sy voel John se asem warm in haar nek. Hy groei saam met die storm teen haar lyf. Reg langs haar kop kletter die reëndruppels teen die balkon se ruit. Sy hand streel oor haar maag.

"Ek is lief vir jou."

Sy draai om en gryp hom vas toe die volgende donderslag klink of dit iets tref. Voor haar gesig wasem die ruit toe.

11

Willem se Tazz is so geparkeer dat hy JHB Micro Lenders se deur kan dophou. Hy wens sy wil nou kom. Brandewyn en Coke sal nou lekker wees, dink hy. En baie ys. Hy wag geduldig en tik-tik met sy een hand teen die stuurwiel op die maat van die CD-klanke wat die voetgangers aan die oorkant van die straat in sy rigting laat kyk. Sy verkyker en kamera lê op die sitplek langsaan. Hy hou elke motor dop wat parkeer of verbyry. As hy 'n blondekop-vrou agter die stuur sien, bekyk hy haar deeglik.

Sowat 'n uur later eien hy Sanet toe sy by die wit Jetta uitklim, tel sy kamera op en neem 'n foto. Sy stap verby die winkel tot by die posbusse. Toe sy een oopsluit, neem hy nog 'n foto. Hy tel die verkyker vinnig op en probeer die posbus se nommer sien. Toe hy dit nie regkry nie, tel hy die rye. Vierde ry van bo af en ses van links. Na sy weg is, wag hy nog vyf minute voor hy uitklim, stap tot by haar kantoor en gaan in.

"Schalk Jacobs," stel hy homself voor.

"Michelle Fouché. Kan ek help?"

Dis sy, orraait, dink hy. Jiee, maar sy is flippen mooi.

"Ek is nuut hier rond en wil graag 'n small loan maak."

Hy weet dat Michelle sy kredietrekord sal kontroleer. Gevolglik sal 'n vals naam en adres nie werk nie. Hy soek net 'n aanknopingspunt.

"Meneer Jacobs," antwoord Michelle vriendelik, "ek hanteer nie lenings van hier af nie. Vul hierdie vorm in, ek sal iemand na jou toe stuur."

"Uhm, ek is eintlik haastiger as dit."

Michelle skud haar kop. "Jammer, meneer, dan sal ek nie kan help nie."

In die deli vra hy weer vir 'n pastei.

"Het jy haar gekry? Ek sien sy het gekom."

"Ja, maar dis nie die girl wat ek soek nie. Hulle lyk baie na mekaar, maar sy sê dis nie sy nie."

Willem gaan sit weer in sy motor en memoriseer die Jetta se registrasienommer. Dis amper twee-uur toe hy haar sien uitkom en wegtrek. Hy hou 'n goeie afstand agter haar en sorg dat daar altyd een of twee motors tussen hulle bly. Sy draai af in die hoofroete na Emmarentia.

"That's it, girl, that's it. Stadig nou. Verdomp, die lig is geel!" Willem steek die kruising oor teen die rooi lig in. 'n Taxi druk voor hom in en hou bykans dadelik stil.

"Hêêêi! Tipies blerrie taxi. Jy moet tekens gee! Bliksem!" Willem waai sy hand deur die venster met die middelvinger na bo. Die Jetta is weg. Dêm, as die vrou in die deli reg het, gaan hy eers volgende week weer 'n kans kry om Michelle te volg.

Tuis laai hy die foto's af op sy rekenaar, druk dit en plaas dit in sy lêer saam met notas.

Dieselfde aand gaan Willem na die poskantoor naby Michelle se besigheid. Dit neem hom 'n hele rukkie om die regte lopersleutlel vir haar posbus te vind.

Vir 'n week lank gaan hy elke aand weer, maar sonder om enige pos te kry. Die volgende Dinsdag wag hy weereens geduldig in die straat. Uit die registrasienommer van Michelle se motor kon hy niks wys word nie. Die Jetta behoort aan haar, maar die adres is dieselfde as die kantoor s'n. Hy is bly die verkeer is stiller as die vorige week. Dit sal sy volgproses vergemaklik.

Michelle ry weer presies dieselfde pad terwyl Willem 'n goeie spasie tussen hulle motors toelaat. Toe hulle die plek nader waar hy haar die vorige keer verloor het, ry hy vinniger en gaan verby. Hy sien Michelle om haar rondkyk en steek die kruising oor terwyl sy by die rooi lig moet stilhou. Mooi, hy sal vorentoe wag.

Willem laat haar verbykom en volg weer op 'n afstand. Sy draai links af en hou reguit aan. Hy sien hoe sy wag vir 'n outomatiese hek om oop te maak voor sy inry. In die verbygaan sien hy 'n groot nommer 18 op die motorhuis.

"Ek hoop daar's pos in hierdie posbus."

In een van die aangrensende strate, regoor 'n park, hou Willem stil. Hy klim uit en gaan sit op 'n bankie. Toe dit goed donker is, stap hy om die blok. Die posbus is so geplaas dat hy dit van die straat af kan bykom. Hy steek sy hand daarin en maak dit leeg.

Met 'n lang glas brandewyn en Coke langs hom, skryf hy John se verslag en sit Michelle se foto's heel bo. Hy sing saam met Creedence se klank wat hard uit die sitkamer kom: "Have you evaaa seeeen the rain . . ." Sy faktuur aan John is vir R4 500. Willem glimlag. Dit gaan hom deursien.

12

In sy kantoor bestudeer John 'n uitdruk van 'n e-pos. 'n Kleinerige firma is op soek na iemand met ondervinding van programmering vir 'n drie maande kontrak. Sy vingers tokkel oor die sleutelbord en die name kom uit sy databasis te voorskyn. Hy trek die CV's, bestudeer dit en faks Coen Swarts se CV vir N & M Asset Managers. Tussen die onderhoude wat volg gaan hy voort met administratiewe take.

Hy antwoord sy telefoon op die tweede lui; dis sy sekretaresse.

"Meneer, dis Willem Lotriet. Mag ek hom deurstuur?"

"Natuurlik, laat hy inkom."

"Ek het goeie nuus, John," sê Willem en gee sy verslag aan.

John lees dit. Sy gesig verhelder en 'n breë glimlag verskyn. "Knap gedaan. Kom ons praat verder besigheid."

Buite die bank glimlag Willem breed. Hy kon die Tazz se paaiement betaal en genoeg oorhou vir die res van die maand. Daarby sal hy vir Rentia ook kan uitneem. Sy vingerpunte kriewel terwyl hy 'n SMS tik.

Vanaand gee ek die poeding. Sien jou halfsewe.

Anja en Rentia gesels oor 'n koppie koffie in die personeelkantien van die Milpark-kliniek. Behalwe die normale geselsies oor spesifieke mediese gevalle, is testosteroon, of die gebrek aan sulke tipe geselskap, belangriker.

"En jy lieg so wraggies vir my op Badplaas!" Rentia het John die vorige aand by Anja se woonstel sien uitkom en peper haar met vrae. "Vertel mens, vertel. Ek voel nou so opgewonde soos 'n eerstejaar."

"So drie maande gelede was ek by 'n vertoning van *La Traviata* toe hy gedurende pouse my glas omstamp. Ek wou my eers vervies, maar hy het so jammer gelyk dat ek dit nie kon doen nie." Sy giggel. "En jy dink Willem is 'n hunk!"

"Ek hoop hy het op sy knieë gegaan en om verskoning gevra."

"Ha, ha, ha. Hoor hoe lag ek. Anyway. Hy was baie verskonend en het dadelik gevra wat hy vir my kan kry. Toe hy die wyn aangee, het ek na sy vingers gekyk om te sien of hy 'n ring dra." Sy glimlag dat die kuiltjie in haar wang wys. "Hy het nie."

Rentia skud haar kop heen en weer asof sy wil sê dit beteken nog niks.

"Ja, ek weet, baie mans dra nie ringe nie," antwoord Anja die ongevraagde vraag terwyl haar oë straal. "Met die aangee van die glas het ons hande geraak. Dit was fab. Ek het net elektrisiteit gevoel."

"Toe nooi jy hom oor vir koffie," vra Rentia.

"Moenie laf wees nie, hoe ken jy my?"

"Wel, jy het al. Stry?"

Anja maak of sy die laaste opmerking nie gehoor het nie en praat verder.

"Ek het hom dopgehou om te sien of hy dalk na 'n vrou se kant toe wegstap, maar groot soos hy is, het hy tussen die mense weggeraak. So asof hy nooit daar was nie."

"Hoe het julle by mekaar uitgekom?"

"Ek het hom weer gesien toe hulle die bekende "Drink-lied" sing. Hy't opgestaan en begin hande klap. Toe weet ek darem waar hy sit. My hart het tot in my skoene ge-sak. Daar was vrouens weerskante van hom. In daardie stadium het ek geglo een van hulle is saam met hom daar. Ons was saam in die hysbak na die parkeerterrein toe hy weer met my gepraat het. Hy het op dieselfde vlak as ek afgeklim. Toe hy vra of hy kan opmaak vir sy blaps met iets te eet of te drink, het ek baie amper te vinnig ja gesê."

"Spoeg dit uit. Alles! Nou's ek gehoek! Ek gooi solank nog koffie."

"Stadig nou, Rentia, ek sal vertel. Gee my 'n kans."

Anja drink haar koffie klaar en praat verder terwyl Rentia nog ingooi.

"John Lombard is een en dertig en het sy eie besigheid, Lombards Personnel. Hy's lank. Goed, ek weet ek is kor-terig, maar ek kom skaars by sy ken. Hy gesels lekker en maklik, maar soms lyk dit of hy effens in sy dop gekruip is."

"Mmm. Ek ken sy soort. O, hulle is slim. Hy sal jou die praatwerk laat doen en alles uitvind. Ek wed jou, sodra hy weet wat jou laat tiek, gaan hy 'n pass maak. Mens, jy kan maar begin inkatrol."

"O heng, behalwe opera sukkel ek nog om uit te vind waarvan hy hou. So af en toe gaan ons saam êrens heen, fliek, koffie drink en so aan. Hy bly alleen in 'n huis en vir 'n man is hy nogal netjies. Nie een keer wat ek daar gekom het, was dit deurmekaar nie. Maar hy lewe soos 'n man. Net die nodigste."

"Mmm, love is in the air. Jy kom meer daar as wat jy wil voorgee. Hoekom het jy dit so lank stil gehou? Dis mos nie soos beste vriende maak nie. Ek vertel jou altyd alles."

"Aag jong, ek weet nie." Sy sug. "Ja, ek hou van hom, maar ek moet nog my mind opmaak."

Net toe Rentia weer wil begin praat, lui Anja se telefoon.

"Hallo, dis Anja." Sy druk die foon toe en beduie met haar vinger: dis hy!

"Ja, ek sal saamgaan. O, wag net so 'n bietjie. Ek dink ek is op roep daardie aand. As jy nie sal omgee as die aand dalk onderbreek word nie, sal ek graag gaan. Goed, ek sal sien of ek dalk kan uitruil." Sy luister nog 'n klein rukkie en sluit daarna af deur te sê dat sy hom sal laat weet of sy kon regkom om uit te ruil.

Anja se oë blink toe sy vertel dat hy haar saamgevra het na sy kantoorfunksie toe.

"Wat trek ek aan? Ek wil nie te formeel lyk nie, maar ook nie by enigiemand afsteek nie."

"Ek sê jou wat, trek 'n sexy nommertjie aan. Iets wat genoeg wys. Hy moet net vir jou raaksien en aflaaityd nooi jy hom in."

"Ek gaan myself nie goedkoop maak nie."

Voordat Rentia kan antwoord, gaan sy voort.

"Maar miskien moet ek tog iets waag. Daai oranje enetjie, die een wat so effens blink. Dis kort genoeg, maar nie uitspattig nie. Boonop weet ek hy hou van pastelkleure. Wat dink jy, of sal ek eers uitvis wat hy gaan dra en daarna besluit?"

"Nou klink dit of jy besig is om breins te kry."

Rentia se selfoon biep. Sy lees die inkomende SMS en proes. "Tipies. Daai Willem darem."

"Gee, laat ek sien." Voor Rentia kan keer, vat Anja die selfoon uit haar hand, kyk na die SMS en lag. "Ek dink dis jý wat iets sexy moet aantrek. Of gaan dit uittrek wees?"

Neville maak notas terwyl hy die aandeelpryse op sy Reuters-skerm dophou. Tussen die oggend se pos was daar instruksies vanaf kliënte. Twee van hulle wil portefeuljes kleiner maak. Hy skakel die makelaar en verkoop aandele, genoeg om die kliënte te betaal en om nog tien persent bykomende kontant te hê. Die makelaar kry opdrag om die fondse na die nommer 2-rekening te kanaliseer.

Hy is skaars hiermee klaar toe die eiendomsagent skakel met nuus dat die verkoper sy aanbod aanvaar en die kontrak geteken het. Al wat uitstaande is, is die finansiering. Sy belowe om met die banke op te volg.

Neville begin berekeninge doen. Hy glimlag tevrede. As sy somme reg is, sal hy R240 000 per maand kan hanteer en die oorblywende R2 000 000 binne agt maande in bruikbare kontant omskakel. Hy glo nie Michelle sal sy aanbod weier nie. Sy gesig straal toe Duart binnekom.

"Ons het 'n goeie CV ontvang, meneer. Die persoon het vyftien jaar ondervinding by 'n bank." Hy gee Coen Swarts se CV vir Neville. "Hy het ook hulle kaartstelsel hanteer. Miskien sal meneer hom terselfdertyd kan gebruik om ons kaartleser se probleme op te los."

Nadat hulle die CV bespreek het, gee Neville hom opdrag om te reël vir 'n persoonlike onderhoud. Hy wag tot hy weer alleen is en stuur 'n SMS vir Michelle: *Ons moet vergadering hou.*

Sy volgende besoeker is die eiendomsagent. Twee van die banke het reeds die finansiering goedgekeur. In albei gevalle is die voorwaarde dat hy 'n lopende rekening by hulle moet open. Een van die banke sal 'n OTM ook installeer.

Hulle bespreek die finale reëlings.

"Meneer Stemmet, baie geluk, sodra ek die fondse vanaf die bank ontvang, is jy die eienaar van die vulstasie.

84

Die huidige eienaar sal Vrydagoggend daar wees om dit af te gee."

Neville glimlag soos iemand wat gehoor het hy gaan vir die eerste keer pa word.

"Ek kan nie wag nie. Ná soveel jare begin my drome waar word."

Hy besoek beide banke, open lopende rekenings en onderteken die nodige dokumente. By een bank is 'n lening toegestaan wat in maandelikse paaiemente terugbetaalbaar is en die lopende rekening wat as 'n kredietrekening bedryf moet word. Die ander bank was meer toeskietlik vir oortrokke fasiliteite; gevolglik sal die lopende rekening sommer 'n tweeledige doel hê. Hy gaan lekker geld maak. Dis nie meer lank voor hy van die bitch ontslae sal wees nie. Hy hoop sy seun sal eendag belangstel om in die besigheid betrokke te raak.

Neville beduie met sy hande toe hy vir Michelle vertel van die vulstasie. Hy sê hy het dit gekoop vir sy seun om te bestuur wanneer hy klaar is met skool. Hy vertel dat hy maklik van die kontant daar kan ontslae raak en noem dat hy dit as kleingeld sal uitdeel. Michelle trek haar lippe op 'n tuit en knik haar kop instemmend.

"Michelle, ek besef dat jy geweldig risiko's neem deur self hierdie geld te bank. Ons kan jou nie veel langer hieraan blootstel nie, dis te gevaarlik. Daar is ander voordele, en gevare. Maar ek sal van die note oorneem op 'n maandelikse basis en vervang met note van die vulstasie. My raming is dat mens tot R250 000 per maand kan uitruil en sal dadelik R500 000 neem. Ons werk steeds helfte-helfte, met een verskil. Die risiko is nou myne."

Hy kyk vir Michelle en wag op 'n antwoord. Toe sy nie antwoord nie gaan hy voort.

"Daarvoor vra ek vyf persent. In plaas van 'n volle helfte sal jy dus net vyf en veertig persent kry. Ek het ook 'n versamelaar ontmoet wat belangstel in die vyfrandnote. Hy vat tien persent, maar dit is geld wat ons in elk geval nie sou kon gebruik nie."

Michelle sit agteroor toe Neville klaargepraat het. Haar gedagtes werk oortyd. Sy sal haar persoonlike doelwitte baie gouer kan verwesenlik. Sy gaan wel kommissie aan Neville afstaan, maar sal R22 500 uit die vyfrandnote terugkry. Sy het ook nie meer nodig om self die geld te gaan bank nie.

"Goed," antwoord sy versigtig. "Wanneer wil jy die eerste lot vat?"

Hulle kom ooreen om mekaar die volgende dag by die bank se lokette te kry. Michelle wil nie soveel kontant aan haar persoon dra nie. Neville sal vir haar een van sy persoonlike tjeks gee vir haar deel. Wat sy nie weet nie, is dat dit uit die nommer 2-rekening kom en dus gedeeltelik wel haar geld is waarmee hy haar gaan betaal.

Nadat Neville vertrek het, dink Michelle oor sy optrede. Hy begin roekeloos raak met sy finansies. Hy en sy vrou ry albei duur motors. Hy het 'n strandhuis op Knysna en koop daarby 'n vulstasie. Waar kry hy 'n kwartmiljoen om vir haar te gee? As hy nie baie skuld het nie, is daar êrens fout. Net môre bespreek sy dit met haar boekhouer.

Die volgende oggend, hoewel dit Woensdag is, is Michelle op kantoor. Sy moet vir Neville by die bank kry en gebruik die tyd om administrasie te doen. Sy skakel haar boekhouer en verduidelik haar bedenkinge rondom 'n paar transaksies wat nie op die firma se bankstaat is nie. Sy het vrae rondom die finansiële verslag, noem van 'n kliënt wie se portefeulje baie snaaks daar uitsien en vra dat hy vir haar moet probeer antwoorde kry.

Volgende skakel sy vir Dumesani en vind uit hoe hy vaar.

"Ma'am, I am doing very well. The people are borrowing like mad. When can I get some more money?"

Michelle dink voor sy antwoord. Sy wil nie te veel van die ou note op een dorp laat uitdeel nie, dit kan aandag trek. Maar as Dumesani so vinnig uit kontant geraak het en nie te veel wil hê nie, moet sy dalk 'n kans waag.

"How much do you need?"

"Another thirty wil do, ma'am."

"Okay, I will see you tomorrow."

Haar selfoon biep. Hulle moet mekaar oor tien minute by die bank kry. Sy staan op, neem haar bos sleutels, ID-dokument en vertrek bank toe.

Neville wag reeds vir haar in die bank.

"Jy's laat," sê hy bars, "ek het nie heeldag tyd om te wag nie."

Michelle maak verskoning.

"Dit was 'n besige oggend Neville. Kan ons nou net klaarmaak?"

Van haar gesprek met die boekhouer rep sy nie 'n woord nie.

In die loket is 'n trommel en 'n boek. Michelle hou deeglik rekord van alle geld wat uitgehaal word. Saam tel hulle eers die note en vergelyk dit met die register. Neville is tevrede toe hy sien die syfers klop. Sy R500 000 in tienrandnote word afgetel en opgeskryf. Die vyfrandnote is presies R50 000. Michelle doen nog 'n inskrywing en Neville teken by albei vir ontvangs. Daarna pak hy sy geld in 'n aktetas terwyl Michelle die loket sluit.

"Neville, kom ek maak jou 'n deal," sê Michelle voor hy loop. "Jy kan alles wat oor is kry en betaal my net veertig persent uit in die vorm van aandele."

"Heng, bedoel jy dit regtig?"

"Natuurlik."

Neville besef dat sy die risiko geheel en al op hom afskuif. Veertig persent in plaas van vyftig klink goed. Hy sal ook van haar ontslae wees en sy vulstasie vinniger kan afbetaal, maar as hy meer transaksies deur die nommer 2-rekening doen, kos dit hom nog minder.

"Michelle, ek wil eers sien hoe dit gaan. Kan ons oor so twee of drie maande weer praat?"

"Goed. Ons praat weer." Sy glimlag vir hom. "Gaan jy eers uit, ek sal later kom. Sodoende sien niemand ons nog 'n keer vandag saam nie."

Sy wag tot hy uit is en sluit weer die loket oop. Michelle tel R30 000 af en verander die 50 000 waar Neville geteken het in 80 000. Sy weet die register het geen waarde nie, maar dit hou Neville tevrede. Sy sluit weer die loket en klim met die trappe na bo.

"Ek wil graag 'n spesiale verrekening laat doen," sê sy vir die kassier.

Hy laat haar 'n paar vorms invul en vra of sy 'n rukkie kan wag. Ná omtrent tien minute roep hy haar. Die ander tak het Neville se tjek vir betaling afgemerk. Sy sal vanaand weer oorplasings na die geldmarkrekeninge kan doen.

Tuis kry sy die eerste keer kans om 'n koppie tee te drink. Sy is moeg. Halfpad deur haar koppie tee lui haar selfoon.

"Michelle Fouché."

Dis haar boekhouer. Hy verduidelik dat die kliënt na wie sy verwys het, wel 'n inbetaling gemaak het. Die inbetaling verskyn eers twee dae ná die maandeinde op die bankstaat, daarom kon sy dit nie sien nie. Die feit dat hy net Sanlam-aandele in sy portefeulje het, is nie snaaks nie. Dit gebeur dat kliënte soms spesifieke opdragte aan fondsbestuurders gee. Dit is ook die rede waarom die firma se aandelewaarde gedaal het. Omdat die kliënt nie dadelik inbetaal het nie, het Neville van die firma se Sanlam-aandele na die portefeulje oorgedra en weer ná die maandeinde aangekoop met die kliënt se geld. Sy voel die verligting deur haar spoel toe hy sê sy hoef nie bekommerd te wees nie, alles lyk in orde.

"Sit solank, meneer. Duart en mnr. Stemmet sal nou by jou wees."

Coen Swarts hou Lelane dop. Dit moet 'n bedrywige dag op die beurs wees, dink hy. Die foon lui bykans on-ophoudelik. Elke keer hoor hy haar sê dat hulle moet aan-hou, meneer Stemmet is besig op sy lyn.

Later neem Duart hom na Neville se kantoor waar dié beduie hulle moet sit.

"Julle sal moet verskoon as ek tussendeur die foon ant-woord, dit gaan dol vandag."

Ná die onderhoud besluit Neville om Coen aan te stel.

"Voorlopig gaan ek drie items aan jou toevertrou," sê Neville nadat hulle op 'n pakket ooreengekom het. "Ek wil ons maandstaat- en faktuurstelsel laat aanpas sodat dit presies ooreenstem met dit wat ons vanaf ons aan-delemakelaar ontvang. Die verbeterde uitleg sal waarde toevoeg vir ons kliënte."

Hy haal voorbeelde van beide stelle dokumente uit en verduidelik die presiese omvang van die veranderings.

"Ek het ook 'n vulstasie gekoop waar ek Vrydag begin handel dryf. Dit is kritiek dat ek gedurig op daardie stel-sel sal kan ingaan om te sien hoe verkope vorder sodat ek die kontantvlakke kan monitor. Daarom wil ek 'n netwerk laat opstel tussen hier, daar en my huis. Dit sal maak dat ek ook na-ure daaraan aandag kan gee."

Neville verduidelik ook dat hy lopende rekeninge by twee verskillende banke het en dat hy kaarttransaksies by beide banke wil laat plaas. Dit sal daarom goed wees as die kaartleser ook kan oorskakel tussen die verskillende banke se stelsels.

Coen maak 'n lys van wat hy nodig het: 'n skootrekenaar, kopieë van die sagteware en 'n klompie ander elektroniese toerusting. Hy stel voor dat hulle net een bank se kaartleser gebruik. Hy het vir die ander bank gewerk, hulle kaartstelsel ontwerp en in stand gehou. Gevolglik sal dit vir hom maklik wees om 'n nuwe bank se kaartleser daarheen te herlei.

Neville is opgewonde. Michelle sal hom nooit uitvang nie. Sy hart klop swaar en 'n sterk sooibrand stu in hom op. Dis nou al van Saterdag af dat dit knaend gebeur. Hy kan nie onthou dat hy iets verkeerds geëet het nie. Dis seker maar die opgewondenheid, dink hy.

Teen kwart voor vyf sluit hy toe.

Gewoonlik kom Michelle nie ná donker buite nie, maar vanaand is dit besonder warm binne-in die huis. Met haar japon aan gaan sit sy onder die lapa om af te koel. Sy wil net opstaan toe sy die posbus se deurtjie hoor kraak. Daar is 'n man by haar posbus en dit lyk of hy daarin krap. Michelle hou hom dop terwyl hy die pos uithaal. Hy vat haar pos! Nee, daar sit hy dit terug. Sy optrede is beslis verdag. Sy wil eers nader gaan en hom konfronteer, maar besluit daarteen. Sy wil nie hê hy moet agterkom dat sy van hom weet nie. Sy sal graag wil sien hoe hy lyk, maar dis nie lig genoeg waar hy staan nie. Dit lyk of hy nie alles teruggesit het nie, daar is nog iets in sy hand. Hy loop op sy gemak na 'n wit motor aan die oorkant van die straat, klim in en skakel die binneliggie aan. Hoe stip sy ook al kyk, dis te ver en nie lig genoeg om sy gesig te sien nie.

Versigtig sluip sy deur die donker kolle nader aan die motor. Die registrasienommer is sigbaar wanneer hy die motor se ligte aanskakel. Michelle memoriseer dit. Sy sal laat navraag doen.

Nadat hy weg is, haal sy die pos uit en gaan na binne. Daar is drie posstukke, al drie gemorspos. Gelukkig laat sy haar belangrike pos na die posbus toe stuur.

Willem ry tot by die poskantoor en sluit Michelle se posbus oop. Jackpot, dink hy met die koevert wat hy as 'n telefoonrekening eien, in sy hand. Dis een van die posstukke wat hy wil hê. Hy sal vasbyt en aanhou soek tot hy 'n bankstaat kry.

Die volgende oggend staan Michelle vroeër as gewoonlik op. Voor sy Barberton toe vertrek, stap sy na die bure toe.

"Kan ek jou 'n guns vra?" vra sy toe haar buurman die deur oopmaak.

"Jy weet mos ek sal help waar ek kan."

"Ek sal graag wil weet aan wie hierdie registrasienommer behoort." Sy gee 'n nota aan. "Dis 'n wit Tazz."

"Hoekom wil jy dit weet? Het iemand in jou vasgery en weggejaag?"

"Nee. Die eienaar het gisteraand in my posbus gekrap en daarvan uitgehaal. Ek hoor dit raak nou 'n plaag. Mense steel pos en hoop daar is geld in. Nie dat hy veel daarin sou kon kry nie, maar dit bly vir my verkeerd."

"Ek kyk die adres vir jou met plesier op. Dis die maklikste ding wat jy vir 'n verkeersbeampte kan vra."

Tevrede dat haar buurman die skelm sal opspoor, groet sy en vertrek Barberton toe. Tog pla dit haar heeldag dat iemand in haar posbus krap. Wat soek hy en hoekom?

Sy is skaars terug tuis toe haar buurman daar aankom.

91

"Michelle, jy sal jou sekslewe in orde moet kry."

Sy voel lus om haar buurman te klap. "Wat bedoel jy?"

Hy lag voor hy antwoord. "Toemaar, ek spot sommer. Daardie ou wat in jou posbus gekrap het, is 'n PI wat mense dophou as hulle eggenote vermoed hulle loop rond."

Michelle besef dat sy nie mag wys hoe groot sy geskrik het nie.

"In daardie geval kan hy maar kyk en agtervolg soos hy wil. Ek het niks om weg te steek nie. En hy's waarskynlik by die verkeerde adres. Stupid man."

Sy staar haar buurman agterna terwyl hy by die hek uitstap. Wie laat haar dophou? Die enigste mens waaraan sy kan dink is Giepie se vrou, maar sy twyfel. Sy gebruik die naam Susan Bekker by die hotel naby Witrivier en 'n ander adres. Die polisie? Sy kan nie glo dat dit Neville kan wees nie. Of is dit die bank? Het hulle dalk 'n spoor van die ou banknote gekry? Indien wel, is hy 'n lyk. Sy moes haar nooit oor hom ontferm het nie. Vir die eerste keer sedert sy die geroofde geld bank, is haar gedagtes deurmekaar. Dit neem haar 'n volle kwartier om tot bedaring te kom. Sy het 'n neseier bymekaar gemaak en kan nie bekostig om dit te verloor nie. Miskien moet sy vir Neville nog 'n beter aanbod maak. Enigiets is beter as niks. Waarvan sy wel seker is, is dat sy 'n tyd lank moet verdwyn.

13

Michelle kom laat die volgende Dinsdagmiddag op Worcester aan. Na die PI-insident wou sy onmiddellik wegkom, maar dit sou verdag voorkom as sy te vinnig padgee. Daarom het sy die naweek by die huis gebly. Maandag het sy vir haar buurvrou gesê sy verlang na Louise. Sy't gevra of die vrou pos sal uithaal en het die koerant se aflewering tydelik gestaak. Met die sekuriteitsfirma het sy gereël om 'n permanente wag in haar erf te laat diens doen. Hy mag net die bure en die tuindiens laat inkom en moet enige ander bewegings rapporteer. Daarna het sy gepak en die eerste vlug Kaap toe gekry.

Op Worcester kry sy verblyf in 'n gastehuis, pak eers uit en ry dan na haar dogter, Louise, se koshuis toe.

Louise hardloop nader toe sy Michelle sien en gryp haar om die lyf. "Mamma! Wat maak jy hier? Ek het só verlang na jou!"

Michelle druk haar styf vas en moet haar arms losmaak om haar op te tel.

"Ek het vir jou kom kuier en gaan hier naby vakansie hou."

"Mamma, gaan jy lank bly?"

"Ek weet nie, my dier. Ek sal maar sien."

"Sal jy elke dag kom?"

"Ai, Louise, ek sal kom soveel as wat ek kan, maar ek sal nie elke dag kan kom nie. Jy het ook skoolwerk om te doen."

Michelle sien die teleurstelling op haar gesig, daarna 'n opheldering.

"Kry vir ons 'n huis hier. Ek en my nuwe maatjie Patricia sal by jou kom bly. Sy huil amper elke dag oor haar ma."

"Jongie, dis nie so maklik nie, maar vertel my eers hoe gaan dit met jou en die skool."

By die gastehuis draai Louise se woorde deur Michelle se kop. Sy weet dat dit beter sal wees vir Louise, wat nou nege jaar oud is, as sy nader aan die huis kan grootword. Kort voor Louise moes begin skoolgaan, het sy agtergekom hoe min skole daar is waar gehoorgestremde kinders onderrig kan word. Sy het verskeie skole besoek en uiteindelik op die bekende De la Bat-skool besluit. Miskien moet sy dit oorweeg om te trek. Gelukkig gaan sy baie tyd hê om haar opsies te oorweeg.

Die volgende oggend gaan Michelle weer skool toe. Sy stap direk na die hoof se kantoor en is aanvanklik verras toe sy sien dat dit nie dieselfde man as die vorige keer is nie, maar onthou dat sy in die jongste nuusbrief van die nuwe hoof gelees het.

"Welkom, mevrou, kom binne," groet hy haar vriendelik. "Ons het nog nie ontmoet nie. Ek is Renier Aggenbach.

"Michelle Fouché, Louise se ma."

"Dis altyd lekker as die kinders se ouers hierheen kom. Ek laat roep gou die onderwyser, dan gesels ons."

Michelle herken die onderwyser dadelik. "Ek is bly om te sien my kind is nog by jou. Sy was verlede jaar baie gelukkig in jou klas. Vorder sy nog goed?"

"Môre, Michelle. Dis lekker om te hoor jou kind praat goed van my. Ja, sy vorder baie goed. Verstaan my mooi, kinders met gehoorprobleme vorder nie so vinnig soos ander kinders nie, maar as ek sê goed, bedoel ek in verge-lyking met ander in haar klas."

Sy haal Louise se vorderingsverslag uit en bespreek dit met Michelle. Ook die skolastiese toetse wat onlangs ge-doen is. Louise se verstand makeer niks, dis net die ge-hoor wat haar terugsit.

Michelle sien hoe die onderwyseres se oë vraend in die hoof se rigting draai.

"Soos jy weet, Michelle, laat ons gereeld gehoortoetse doen op al die kinders," begin hy. "Elke kind se geval word deur 'n oudioloog ontleed en gemonitor. In die ge-val waar die toetse daarop dui dat 'n operasie kan help, laat ons die ouers dadelik weet. Daar kom binnekort 'n nuwe tipe gehoorapparaat op die mark wat dalk kan help. Op die oomblik is ons besig om dit vir die ontwikkelaar te toets en die resultate lyk heel belowend."

"Wanneer gaan dit beskikbaar wees?"

"Ek kan nie namens hulle praat nie, maar ons verslag moet volgende week ingedien word."

"Kan julle Louise gebruik?"

"Ai, Michelle, ons het net vyf gekry vir toetse en ons het baie meer as net vyf kinders."

"Hoeveel geld wil julle hê? Ek bedoel dit. Ek kan be-taal."

"Nee, ek wil nie geld hê nie. Donasies aan die skool is altyd welkom, maar ek kan nie geld aanvaar vir die toet-sing van die apparaat nie. Ek sal kyk wat ek kan doen. Gee my jou telefoonnommer. Ek sal uitvind en as ek iets wys word, bel ek jou."

Nadat Michelle vertrek het, hou hy die onderwyseres terug in sy kantoor.

"Dit klink asof jy die vrou goed ken. Gee my bietjie agtergrond Waar woon hulle? Hoe betrokke is Louise se pa, of kom sy altyd alleen?"

"Sy is 'n weduwee en het haar eie besigheid in Johannesburg. Louise gaan elke vakansie huis toe en Michelle kom gewoonlik een keer per kwartaal kuier. Aan die hoeveelheid sakgeld wat sy vir Louise stuur, die feit dat sy altyd net die beste gehalte klere het en ook heen en weer vlieg, lei ek af dat daar geen gebrek aan geld is nie. Maar of dit haar besigheid is wat so goed doen en of sy net goed agtergelaat is, weet ek nie. Dis eintlik al wat ek jou kan sê. Mens sou dink iemand met soveel geld sou lankal kon Kaap toe trek om nader te wees . . ."

Neville lees die kort teksboodskap.

Kontak word minstens ses weke gestaak.

Dit pas hom uitstekend. Binne ses weke behoort alles gereed te wees en sal hy haar nie meer nodig hê nie.

Dis kort ná eenuur toe hongerpyne Michelle na 'n Wimpy laat soek. Sy kry dit maklik en is bly dat die kelner haar in 'n stil hoek plaas.

Die privaatspeurder wat in haar posbus gekrap het, bly in haar gedagtes. Haar buurman het wel gesê hy doen egskeidingondersoeke, maar dit kan nie in haar geval die rede wees nie. Hoe hard sy ook al probeer dink, dit help haar niks. Daar kan net een rede wees. Die geld. Maar wie het hom gehuur? Sy kan nie dink dat dit die polisie is nie. Hulle sal een van hulle eie speurders gebruik. Miskien is dit Neville! Vir al wat sy weet voer hy iets in die mou. Hy kon maklik die PI gehuur het in die hoop dat sy dit sal agterkom en 'n tyd lank sal wegkruip. Dit kan die bank ook wees. As hulle die inbetalings kon naspoor, kan dit 'n probleem wees. Solank die speurder net nie te ver terug in die verlede krap nie. Sy sal vinnig iets moet doen. Maar wat?

Terwyl sy eet, bly sy verskillende opsies oorweeg. Teen die tyd dat sy haar bord wegstoot, het sy 'n oplossing. Die speurder moenie dink hy is slim nie. Sy het ook 'n naam en adres. Sonder omhaal soek sy Butch se nommer op en skakel.

"Butch. Dis Michelle Fouché van JHB Micro Loans wat praat," sê sy in haar soetste stem toe hy antwoord. "Sal jy vir my 'n guns doen? Ek het 'n mooi klompie banknote wat 'n baas soek."

14

Die klanke van Tsjaikofski se 1812-ouverture kom uit die klankstelsel toe John dit aanskakel. Hy stop dit dadelik, haal die CD uit en ruil dit vir iets meer opgewek. Hy gaan sit met Willem se verslag oor Sanet se opsporing op sy skoot. Binne die lêer is twee foto's van haar. Sy word blykbaar nie meer Sanet genoem nie, maar Michelle. Dit kan dalk haar tweede naam wees, dink hy, maar kan nie onthou of sy dit ooit genoem het nie. Fouché is waarskynlik haar getroude van. Dis vir John snaaks dat Willem niks van haar man skryf nie. Die verslag sê bloot dat sy in 'n huis woon. Sy kan geskei of 'n weduwee wees. Die afskrif van die munisipale rekening wys dat sy eiendomsbelasting betaal; gevolglik is die logiese afleiding dat die plek aan haar behoort. Willem se foto en beskrywing van die huis se grootte laat John glo dat sy welgesteld is. Uit ondervinding van onderhoude met werksoekers weet John dat geskeide vrouens dit dikwels moeilik vind om 'n bestaan te maak. Daarom dink hy dat sy eerder 'n weduwee is. Dis ook moontlik dat sy die huis met 'n deel van die geroofde geld gekoop het.

In die hoop dat hy 'n naam of 'n van kan eien, kyk John aandagtig na die lys van name en telefoonnommers op

98

Willem se lys. Hy kry nie 'n enkele leidraad nie. Sy het net een van die nommers meer as een keer geskakel. Daar is nie 'n naam nie, ook nie 'n adres nie. Die nota langsaan sê net dis 'n ongelyste nommer.

Die mandjie met kaas en wyn kom weer in sy gedagtes op toe hy die lêer toemaak. Ook die drie magrietjies. Miskien wil sy sê sy is jammer. Al het sy ook hoeveel goeie redes gehad om hom te vermy, gaan jammer nie goed genoeg wees nie. Moer, dit gaan moeilik wees om haar te vergewe. Hy hoop nie sy wil hom terughê nie. Sanet of Michelle, maak nie saak nie, met Anja in sy lewe is haar kanse 'n ronde nul. En tog kan hy nie ophou dink aan haar nie.

John gooi 'n whisky in. Hy sou graag by Anja wou gaan kuier, maar weet sy werk nagskof. Die drankie sou baie lekkerder gesmaak het by haar. Hy kry lus om haar te bel, maar besef sy kan dalk met 'n pasiënt besig wees en besluit om haar te SMS.

Haai, oulik, wat van koffie op die grondvlak?

Voor hy terug is by sy sitplek is haar antwoord daar.

Ja, kom. Dis baie stil hier.

"Oubaas!" roep hy die hond, "uit is jy. Ek gaan ry."

Op pad terug van die hospitaal ry John 'n draai om die straat te soek waar Sanet, of is dit nou Michelle, woon. Hy is reeds verby die afdraai toe hy die straatnaam raaksien. Hy kyk vinnig in sy spieëltjies om seker te maak dis veilig voor hy die U-draai maak. Hy ry stadig om die nommers te sien. Toe hy agterkom watter kant die gelyke nommers is, besef hy dit moet nog 'n hele entjie wees en ry effens vinniger.

Hoewel daar 'n enkele buitelig brand, is die huis by nommer 18 donker. John ry 'n entjie verby, draai dan om en hou aan die oorkant van die straat stil regoor Sanet se huis.

Die huis lyk heel ruim. Daar is 'n lapa, en die lae heining langsaan vertel vir hom daar is ook 'n swembad. John wonder wie daarin swem. Toe hy vir Sanet gesien het, het dit nie vir hom gelyk of sy sonbruin was nie.

As haar van Fouché is, kan dit maklik wees dat sy getroud is of was. Hy wonder of sy kinders het, hoe oud hulle is. Nie dat dit saak maak nie. Willem het gesê sy woon alleen en die huis behoort aan haar. Geskei of 'n weduwee; sy het duidelik net goed gedoen het vir haarself. Dat sy met behulp van 'n slenter daaraan gekom het, sal hy veel eerder glo. 'n Slenter wat hom gevang het. En haar met baie geld laat wegstap het.

15

Neville sien die noteversamelaar se inbetaling van R85 000 op sy bankstaat en voel trots op homself. Hy wens hy kan teenoor iemand spog met die transaksie. Michelle is beslis nie so slim as wat sy voorgee nie. Sy wins is baie groter as die deel wat hy aan haar moes afstaan. Terselfdertyd is hy jammer dat die versamelaar nie die tienrandnote ook wil hê nie. Dit is nog in omloop en het dus nog nie 'n versamelaarswaarde nie. Dit gaan veels te stadig met die uitdeel daarvan as kleingeld by die vulstasie. Voortaan sal ook daarvan vir lone gebruik. Die werkers kan dit maar spandeer waar hulle wil. Niemand sal 'n paar hier en 'n klompie daar aan hom kan koppel nie.

Die 1 100 Billiton-aandele wat hy verkoop het om as deposito vir die vulstasie se aankoop te gebruik, bekommer hom. Môre is maandeinde. Om te sorg dat die boeke weer klop, het hy net twee dae om dit terug te koop. Met dié dat hy by twee banke finansiering kon kry, het hy nie meer die kontant daarvoor nodig gehad nie en het Michelle daaruit betaal vir die tienrandnote.

Neville bel sy makelaar. Hy kry lekker toe hy hoor Billiton se prys het gedaal. Hy koop die aandele terug. Omdat hy binne sewe dae moet betaal, weet Neville hy sal weer 'n plan moet maak.

"Ons is besig om van boekhouers te verwissel," sê hy vir die makelaar. "Ek het nog nie sy posadres nie. Stuur die state alles hierheen van vandag af. Ek sal later vir jou die nuwe adres laat kry."

Hy het reeds die nuwe faktuurprogram wat Coen Swarts vir hom geskryf het, getoets en is tevrede dat dit reg werk. Daarmee sal hy sy eie weergawe van die state produseer en vir die boekhouer pos; sodoende sal Michelle niks agterkom nie. Neville staan op en kyk by die venster uit. Een van die dae skop hy die dominerende bitch onder haar gat.

"Duart!"

Duart loer om die deur.

"Meneer?"

"Daardie program van jou. Die een wat kan voorspel watter aandele se pryse gaan styg. Kan mens dit ook gebruik om te voorspel watter aandele gaan daal?"

"Natuurlik, maar hoekom vra meneer?"

"As ek nou tussen al ons aandele – dis nou my eie en dié wat ek vir kliënte hou – aandele kan kry wat gaan daal, kan ek hulle vandag verkoop en later goedkoper terugkoop. Op dié manier kan ek ekstra wins maak en kontant genereer. Ek kan die kontant weer gebruik om aandele wat gaan styg te koop. By 'n volgende geleentheid swaai ek weer die twee transaksies om en maak ek met dieselfde geld twee winste."

"Ek kan sien hoekom meneer die baas is." Duart se gesig straal van bewondering. "Breins. Meneer het sommer baie breins."

Neville lag lekker en gee 'n lys van aandele in voorraad. "Toe-toe, ek is haastig. Nie meer as twee dae nie, hoor."

"Goed, meneer."

In die verbygaan sê Duart vir Lelane: "Het jy gehoor, die ou man kan lag ook? Hy's nou wel meestal 'n knorpot, maar ek sê jou, hy's briljant. Hy't 'n besigheidsbrein soos min."

Nadat hy twee dae lank geen beweging by Michelle se huis kon sien nie, begin Willem wonder of sy uitstedig is. Daar brand lig, maar elke aand in 'n ander vertrek. Hy glo sy is met vakansie en dat sy 'n tydskakelaar in die huis het wat die ligte aanskakel en roteer. En sy is beslis nie getroud nie, dalk geskei of 'n weduwee. Volgens haar telefoonrekening skakel sy gereeld 'n tiekieboks by die meisieskoshuis van die skool vir dowes op Worcester. Dit het vir 'n verdere brokkie inligting gesorg. Om die matrone in die hande te kry, was maklik. Sy het bevestig dat hulle 'n Louise Fouché in die koshuis het en dat sy van Johannesburg af kom.

Omdat hy glo dat sy daarheen is, doen hy ook nie veel verdere moeite om uit te vind waar sy is nie en konsentreer eerder daarop om inligting te kry wat haar met geld verbind. Sy sal wel die een of ander tyd terugkom. Tussen sy ander ondersoeke ry hy elke aand voor haar huis verby. Soms hou hy 'n ent verder stil, stap versigtig terug en kyk of hy tekens van lewe kan sien. Die feit dat daar 'n sekuriteitswag op die perseel is, laat hom dink sy gaan lank weg wees. Sy is erg senuagtig oor iets of iemand, besluit hy.

Dis die soveelste keer dat hy voor 'n leë posbus staan. Is hy besig om sy tyd te mors? Miskien moet hy die saak los. John Lombard gaan hom nie betaal as hy niks kry nie. Hy het reeds die motor se deurknip in sy hand toe die geluid van tekkies op teer hom laat rondkyk. Hy eien haar gou, stap voor haar in en stop haar. Haar asemhaling is hard.

"Hoe kan jy so roekeloos wees om alleen hierdie tyd van die aand te draf?"

Anja hyg effens. "Ek dink nie dis . . . roekeloos nie." Sy haal diep asem. "Ek doen dit gereeld."

"Klim in, ek vat jou huis toe," sê hy bars.

"Nè!"

"Ja." Hy vat haar aan die arm en trek haar in die rigting van sy kar.

"Eina! Los my, Willem!"

Willem verstewig sy greep toe hy voel Anja probeer om haar arm uit sy hand te trek.

"Verdomp, vroumens, ek het nou net drie tsotsi's minder as 'n kilo dié kant toe gesien!"

Sy wil nog verder protesteer, maar hy boender haar in die motor en klap die Tazz se deur toe. Toe hy die sleutel draai en wegtrek, sien hy hoe sy haar arm vryf. Hulle ry 'n ruk in stilte.

"Ekskuus. Ek het nie bedoel om so hard te vat nie."

"Jy het flippen harde vingers."

"Dis nie al nie."

Sy trek haar asem hoorbaar in. "Willem!"

"Sorry, dit het sommer net uitgeglip."

"O, julle mans! Hoekom is julle altyd so fisiek?"

"Seker om dieselfde rede as wat julle dokters so klinies is."

Anja kyk vinnig na hom. "Wat presies bedoel jy?"

"Luister, as 'n meisie vir my sê aaa, is die laaste ding wat ek gaan doen om met 'n flits in haar keel af te kyk." O donner, dink hy, wat het hy nóú gesê. En sy lyk hoeka nie te vriendelik nie.

"Sien, ek was reg. Jy's seker 'n Bul?"

" 'n Wat?"

"Jou sterreteken. Jy's seker 'n Bul."

"O. Ja." Verdomp, gaan sy nou weer verder uitvis?

"Ek's 'n Kreef."

Willem weet nie mooi wat dit nou juis beteken nie. Daarom bly hy maar stil. Ná 'n rukkie van stilte praat Anja weer. "Ek is jammer as ek ongeskik was. Ek het 'n lang dag by die hospitaal gehad. Ek moes uitkom."

"Ja, maar dis gevaarlik, Anja."

"Ek weet. Jammer."

Dit is vir 'n ruk weer stil in die Tazz.

"Sal jy sit dat ek jou teken?"

Willem kyk skuinsweg na haar. "Net as jy belowe dit gaan so duidelik wees as die skets wat jy van John Lombard gemaak het." O hel. Dis die derde keer dat hy die verkeerde ding sê.

Anja kyk vraend na hom.

"Ek het die skets gesien wat jy gemaak het."

"Hoe ken jy hom?"

Willem probeer bot klink. "Kliënt."

"Werk jy vir hom of hou jy hom dop?"

"Bespreek jy jou pasiënte?"

Hy is dankbaar toe sy stilbly. By haar woonstel klim hy uit en stap saam tot by haar deur.

"Kan ek dankie sê met 'n beker koffie?"

Hoe sê hy vir haar hy wil nie? "Ek is eintlik haastig."

Willem voel 'n kriewel in sy rug. Hoekom het hy lus om haar hare deurmekaar te vryf? Hy is die eerste stel trappe halfpad af toe hy Anja se stem agter hom hoor.

"Wanneer kom jy vir die skets?"

Willem stop en kyk oor sy skouer.

"Jy kan haar saambring."

Hemel, maar sy karring. En hy kon sweer sy lag. "Ek sal jou bel," antwoord hy kortaf en draf die oorblywende trappe af kar toe.

Sy moet iets hê oor alleenheid, dink Willem toe hy by die

105

huis inloop. Eers die gesprek op Badplaas. Sy het hom byna laat erken hy voel soms eensaam en alleen. Sy's bleddie goed. En vanaand die koffie-uitnodiging. Anja het daardie naweek op Badplaas alleen die James Bond-fliek gekyk en was die aand in haar dop gekruip, maar sy't tog deur die naweek vrolik voorgekom en pittige kwinkslae ook kwytgeraak. Sou sy met opset vir hom en Rentia alleen wou los? Of steek sy iets soos 'n ou seerkry agter daardie humor weg?

John. Hy wil steeds weet hoe sy hom ken en hoekom sy hom geteken het. Moet hy met haar oor hom praat? Ter wille van hulle vriendskap, al is dit net via Rentia, moet hy dit dalk oorweeg. Maar dit sal nie reg teenoor John wees nie; kliënte se persoonlike sake is immers vertroulik. Verder, wat as sy vermoede verkeerd is?

Hy tob lank oor John se moontlike redes om Sanet op te spoor. Hy vertrou nie heeltemal sy motiewe nie. Maar kort-kort dwaal sy gedagtes terug na Anja. Hoekom fassineer sy hom so? Sy is nie lenig soos die ideale vrou wat hy al jare in gedagte het nie. Sy is kort. Haar hare is krullerig en ook nie blond nie. Sy babbel nie soveel soos Rentia nie. Maar sy draf. En daar is iets aan haar . . . Willem vryf met sy hand deur sy hare. Fok, hy hoop nie sy is betrokke by John nie. Hoe meer hy oor hierdie saak dink, hoe meer voel hy dinge is nie wat dit voorgee om te wees nie.

16

Om twee besighede gelyktydig te bestuur is geen maklike taak nie. Dit besef Neville gou. Sandton en Kempton Park is net vyf en twintig kilometer uit mekaar, maar afhangende van die tyd van die dag wanneer mens tussen die twee plekke moet reis, kan swaar verkeer jou ophou. Die vulstasie verg baie meer tyd as wat hy gedink het die geval gaan wees. Daar moet daagliks geld gebank en voorraadkontrole gedoen word. Baie maal gebeur dit dat 'n hele paar werkers nie opdaag nie en moet hy skarrel om te sorg dat die pompe en winkel beman is. Net so skielik moet hy uitvind dat sekere items uit voorraad geraak het en moet hy tyd afstaan om aankope te gaan doen. Hy raak vinniger ongeduldig terwyl sy tyd met die gesin ook gekortwiek word. Hy sal 'n bestuurder moet aanstel, dink Neville terwyl hy met die papierwerk sukkel. Hy het vanoggend al weer daardie warm, kloppende gevoel hoog in die keel en onder sy tong.

Oor een ding is hy darem tevrede. Tot dusver het Coen uitstekende werk gelewer. Hy het reeds die faktuur- en maandstaatstelsel afgehandel en wag op die oomblik dat die datalyne tussen die drie plekke geïnstalleer word voordat hy die netwerk kan finaliseer. Hy is betroubaar en werk hard. Hy moet homself immers bewys, dink Neville, 'n man van sy jare met 'n gesin en 'n kind op universiteit. As sy kontrak met die staatstelsels en netwerk hier klaar is, sit hy weer sonder werk.

Op die ingewing van die oomblik roep hy hom na sy kantoor. "Wat weet jy van vulstasies af?" is sy eerste woorde sonder om te groet. "Sal jy so 'n plek kan bestuur?"

"Ek het geen ondervinding in daardie lyn nie, meneer, maar ek is seker dat ek vinnig sal kan leer. Hoekom vra jy?"

Neville verduidelik hy het iemand nodig om daagliks kontroles uit te oefen. Een van die kassiere se kasregister is gereeld kort. Iemand moet die voorraadvlakke monitor, personeel bestuur en aankope doen. Hy wil hê die personeel moet weet daar is iemand met gesag op die perseel. Daar is boonop heelwat ander take waarby hy nie self kan uitkom nie.

"Ek is bereid om jou die kans te gee. Die eerste drie maande beskou ons as 'n proeftydperk en as jy regkom, praat ons oor 'n permanente aanstelling. Hoe klink dit?"

"Dit sal dit makliker maak om die program vir die skakeling van die kaartleser te toets as ek daar werk. Maar ek sal dit met die vrou moet bespreek."

Neville weet Coen speel net vir tyd. Hy is desperaat en sal 'n vaste inkomste wil verseker. Hel, hy sal waarskynlik ook nie eers vir Coen soveel hoef te betaal nie. Hy sal dit nie kan wegwys nie.

"Kom ek gaan wys jou die plek en wat jy alles sal moet doen. Dan praat ons verder besigheid op pad."

By die vulstasie stel Neville vir Coen aan al die werkers voor en begin om hom touwys te maak. Hy wys hom eerste hoe om die pomplesings te doen. Dit word gekontroleer teen die lesing van die brandstofvlakke in die ondergrondse tenks.

"Die brandstofvoorraad is baie belangrik. Ons verkoop tussen tien en elf duisend liters per dag. Sodra die vlak op twintig duisend kom, moet jy weer bestel, anders kan ons uit voorraad raak en klandisie verloor. Die ander goed op die drive way, soos olie en bymiddels, moet ook gekontroleer en aangevul word. Jy kontroleer dit teen die bedrag in die kasregister."

In die QuickShop moet Coen die vervaldatums van items soos melk kontroleer. Pasteie wat die vorige dag verkry is en nog nie verkoop is nie, moet vroegdag af-gemerk word sodat dit vinnig kan verkoop en nie oud word nie. Neville wys hom ook ander voorraadkontroles en aankoopprosedures.

Coen kom vinnig agter hoe belangrik die hantering van kontant vir Neville is. Daar is drie kasregisters. Een vir die rybaan, een vir die winkel en een vir kleingeld. Die volle bedrag wat in kontant as betaling aangebied word, word in elke kasregister aangeteken terwyl die kleingeld alles uit een spesifieke laai gehaal moet word.

"Die kontantvlakke in elke kasregister het maksimums. Sodra dit bereik word, moet die kassier dit verminder en in die valkluis gooi. Dit sal verliese, in geval van 'n roof, beperk. Jy moet twee keer per dag die geld gaan bank."

Hy benadruk die belangrikheid dat Coen nie elke dag die geld met dieselfde voertuig moet vervoer nie en ook nie op geskeduleerde tye nie. Hy noem ook dat verskil-lende takke van die banke gebruik word. Daar moet geen patroon wees nie. Dit verminder die kanse om gekaap te word.

"Die inbetalings word tussen drie rekenings verdeel. Tien persent kom in my persoonlike rekening Die res word in die ander twee rekenings gebank. Geen kontant mag na die kleingeldlaai oorgeplaas word nie. Ek sal dit elke oggend self aanvul."

Hierdie reëling is vir Coen snaaks, maar hy sê dit nie. Neville gee soveel opdragte dat hy nie tyd het om te veel oor iets na te dink nie. Hy is bang hy vergeet iets. Nou en dan maak hy 'n aantekening. Dit gaan lang werksure beteken, maar omdat hy die geld nou baie nodig het, is hy bly oor die vaste salaris wat hy sal ontvang. Die bank het reeds die vorige dag 'n aanmaning gestuur dat sy huislening agterstallig is. Miskien help dit ook om die verhouding tussen hom en sy vrou, wat die laaste klompie maande heelwat druk ervaar, te laat verbeter.

Neville stoomroller voort met sy opdragte en verduidelikings. "Die werkers werk in skofte. Omdat sommiges maklik van die werk af wegbly sonder om vooraf te laat weet, het ek 'n gereedstaan-rooster ingestel. Soms moet van hulle 'n dubbelskof werk. Ek wil elke Woensdag die tydstate hê sodat ek die lone teen Vrydag reg het. Hulle word elke tweede Vrydag betaal. Die personeel wat nagskof werk, ruil Saterdae om en kry sodoende die volgende week geld."

Noodmaatreëls kom ook aan die beurt. Die polisie, gewapende reaksie, brandweer en ambulansdiens se nommers is alles daar. Onder geen omstandighede moet enigiemand tydens 'n roof iets onverantwoordeliks doen nie. Kliënte en personeel se lewens is meer werd as geld, sê hy.

Michelle, wat intussen na 'n gastehuis in Hermanus verskuif het, sit en kyk na 'n uitdruk van haar maandstate. Die boekhouer het dit per e-pos aangestuur. Iets pla haar. Daar was weer 'n wins, maar hierdie maand was dit so klein dat sy nie op grond daarvan enige oordragte kon maak nie. As dit nie was dat Neville die groot bedrag kontant oorgeneem het nie, sou nie een van die rekeninge kapitaal kon bykry nie. Dis onverstaanbaar. Net nou die dag nog het Neville gespog oor die deurbraak wat hy gemaak het. Hulle winste sou in 'n ommesientjie kon verdubbel. Sy het selfs die kans gewaag om ekstra kontant te deponeer. Maar sy is nou gatvol vir die risiko's. En van Giepie het sy vir eers genoeg gehad. Sy hoop volgende maand se wins is beter. As sy moet uitvind Neville is besig om haar te verneuk, gaan hy jammer wees.

Gister het sy weer vir Louise gaan kuier. Dié wou met alle geweld saamkom Hermanus toe. Michelle kon dit nie toelaat dat sy saamkom nie. Dis te naby aan die einde van die jaar en haar skoolwerk moet eerste kom. Sy sal haar die naweek bederf, winkels toe vat en 'n paar nuwe goedjies koop. Louise wil huis toe kom, en soms voel Michelle skuldig, maar nou moet sy eers fokus op haar finansies en klaarmaak waarmee sy begin het. Dis tog vir Louise se onthalwe ook, probeer sy haarself oortuig.

Louise het weer gevra na haar pa. Dit pla Michelle dat sy elke keer daardie vraag ontwyk. Sy is skaars ouer as nege. Die tyd is nog nie reg om haar aan grootmensdinge bloot te stel nie. Tog weet Michelle dat sy die een of ander tyd daaroor sal moet praat, maar sy sal eers moet klaarmaak waarmee sy besig is.

Michelle oorweeg haar opsies sorgvuldig. Sy moet nou begin risiko's vermy. Haar finansiële teikens is so naby dat sy haar aktiwiteite kan afskaal. Miskien moet sy dit sterker oorweeg. Een misstap, en al die jare se sweet en angs was verniet. Dinge begin warm raak, voel dit haar. Die speurder pla haar. En Neville raak roekeloos.

Sy kan met Neville 'n ooreenkoms aangaan vir die verdeling van die besigheid se bates en hom 'n goeie transaksie aanbied as hy die res van die kontant wil oorneem. Die besigheid se bates is amper R2 000 000. Haar vyf en vyftig persent beteken dus rofweg net meer as R1 000 000. Die kontant wat oor is, is omtrent R1 500 000. As sy vir

Neville sê hy kan dit kry op 'n twee uit drie basis is haar deel R500 000. Saam met die geldmarkrekeninge het sy 'n totaal van R2 000 000. Net R200 000 kort van haar teiken. Daarop kan sy en Louise gemaklik lewe. Sy kan Dumesani laat kom en haar mikroleningsbesigheid uitbrei. Of weer wegraak. Maar wat maak sy as Neville nie wil saamspeel nie? Michelle skuif die state opsy. Nee wat, as Neville weet wat goed is, sal hy nie moeilikheid maak nie. Hy gaan nog slegter daarvan afkom as sy die besigheid likwideer. En dit sal net die begin wees.

Michelle se telefoon lui. Dis haar buurvrou.

"Hallo, hartjie, ek wil nie pla nie. Ek weet jy kuier by jou dogter. Maar ek dog jy moet weet. So 'n paar aande terug het hier 'n motor voor jou huis gestaan. En later het ek iemand sien verbyloop. Dit het gelyk of hy die huis dophou."

Michelle luister mooi, bedank haar buurvrou en lui af. Dit was die laaste strooi. Teen hierdie tyd moes haar kontak al uitgevind het wie dit is. Sy soek die nommer op haar selfoon. Sy is heeltemal te naby aan haar doelwit. Sy sal nie toelaat dat Neville – of enige iemand anders – in haar pad staan nie.

17

Vasbyt, lekker nou, vasbyt, lekker nou. Willem draf 'n ent voluit en trek dan die klewerige T-hemp sommer in die hardloop uit. Hy sien uit daarna om die sweet van sy lyf af te kry. Die laaste honderd meter tot by die kompleks se hek draf hy teen 'n gemaklike pas.

Drie huise verder aan sien hy al sy voordeur oopstaan. Hy sou dit nie oopgelos het nie. Kalm nou, maan hy homself, jy ken die drills. Willem luister mooi of hy nog beweging binne kan hoor. Hy hardloop gebukkend om die huis, loer by die vensters in. Maar die inbreker, of oortreder, is al weg. Dit hét hy daarvan om 'n huis sonder 'n alarmstelsel te huur. As sy finansies nie so beroerd was nie, kon hy een laat installeer en 'n reaksie-eenheid gehuur het. Tevrede dat die huis leeg is, inspekteer hy elke vertrek. Al die kaste staan oop. Die inhoud van sommiges lê alles op die vloer gestrooi, maar sover hy kan sien, is daar niks weg nie. Dit was nie gewone inbrekers nie. Die toestand van sy studeerkamer bevestig sy vermoede. Lêers, dokumente en verslae lê oral in die vertrek. Hy het verwag dat ten minste sy TV, DVD-speler en die rekenaar gesteel sou wees.

Onder die stort dink hy oor al sy ondersoeke. Êrens

113

moes hy 'n fout gemaak het. Hy oorweeg elke geval waar-
aan hy werk of onlangs gewerk het. Hy dink na oor elke
moontlike plek waar hy 'n spoor kon laat, maar kan
homself nie indink wie in sy dokumente sou snuffel nie.
Hy sal deeglik na die lêers op die lessenaar kyk. Waar-
skynlik lê die leidraad in die laaste een wat hanteer is.

Dit neem hom ure om alles uit te sorteer en op te ruim.
Hy gee baie aandag aan die lêers op sy lessenaar, maar
kan nie agterkom waarna gesoek is nie. Almal is egskei-
dingsake en lankal afgehandel. Al die oop sake se lêers is
nog in die kabinet. Dalk het die persoon nie klaargekry
nie. Maar dan moes hulle twee wees; iemand moes hom
waarsku dat Willem op pad terug is. Hier is iets aan die
gang, dink Willem. En wat hom die meeste pla, is dat hy
nog nie self die konneksies gemaak het nie.

Willem staan op en ry na 'n elektroniese winkel toe.
Drie ure later is sy drade aangelê en aan sy rekenaar ge-
koppel.

Neville is besig om op die nuwe program van Coen sy state
te gebruik. Hy doen gereeld transaksies waar hy aandele
eers verkoop, ander aandele koop en dit later weer om-
swaai sodat sy voorraad reg is. Sy winste is groot genoeg
dat hy meeste van die kontant, wat hy vir sy persoonlike
gebruik uit die besigheid geneem het, kan terugsit.

Die program wat Coen aangepas het, is maklik om te
gebruik. Neville kontroleer elke faktuur van die make-
laar. Al die transaksies wat teen die nommer 2-rekening
gedoen is, laat hy weg op die state wat hyself druk. Dis
moeilik om die bykomende makelaarskoste weg te steek,
maar deur 'n klein aanpassing in die tarief van die ma-
kelaar te doen, manipuleer hy die fakture wat nie deur
die nommer 2-rekening is nie sodat die kostes balanseer.
Tevrede dat alles in orde is, druk hy die state uit en sit dit

in die koevert. Hy sal dit vanmiddag vir die boekhouer stuur.

Die res van die week sukkel Willem om te vorder. Hy weet Michelle is op Hermanus, maar kry steeds nie enige inligting wat haar met die geld verbind nie. Vir die soveelste keer ry hy na haar posbus toe. Sy vingerpunte skiet vol naalde en spelde toe hy die koeverte in haar posbus voel. ABSA! Willem onderdruk 'n gil en hardloop oor die straat kar toe. Dit voel vir hom of elke verkeerslig op pad huis toe rooi is en langer as normaalweg neem om groen te word.

By die huis werk hy item vir item die bankstate deur. Die een lyk vir hom na 'n gewone rekening. Volgens die inskrywings is meeste van die transaksies met 'n debietkaart aangegaan. Die inbetaling daarop se inskrywing lui: *Oorplasing JHB Micro Loans.* Die saldo op die geldmarkrekening se staat laat hom na sy asem snak. Goeie fok! Die vrou hét geld. Met so 'n saldo sou hy die Tazz lankal kon opgradeer. Een van die inskrywings vang sy oog. 'n Elektroniese oordrag vanaf "N M Ass". Die naam "N M Ass" prikkel hom. Dit moet 'n afkorting wees. Sover hy weet is daar nie 'n assuransiemaatskappy met so 'n naam nie. Willem kan dink aan M & F, maar "N M" slaan hom dronk. Sonder 'n kontak by hierdie bank gaan hy sukkel. Die derde bankstaat is dié van die mikroleningsbesigheid. Daarop is die oordrag na haar persoonlike rekening, weeklikse kontantinbetalings, en 'n oordrag na "N M Ass". Hy krap sy kop. Hoekom die geld eers na een rekening oorplaas en later weer vandaar 'n ander bedrag terugkry? Willem staan op. Hy steek sy hande in sy sakke en loop op en af in die huis. In die kombuis gooi hy 'n brandewyn en gaan kyk dan weer na die staat.

Drie deposito's in Nelspruit, vier in Hazyview, vyf in

Malelane en een in Barberton. Hy tel die bedrae op die bankstaat op en kyk daarna terwyl hy agteroor leun. Waar kry die besigheid sy geld? Daar is geen onttrekkings nie, net die oordragte. Sy moet kontant daarin stort. Indien sy geërf het, is dit moontlik; indien nie, waar kry sy die kontant? Willem vat 'n sluk van sy brandewyn. Dis hoe brandewyn moet smaak, dink hy, en rol dit in sy mond.

Dat 'n vrou se van kan verander, verstaan hy, maar hoekom is sy nou Michelle? Hy sweer dit moet die Sanet wees wat John soek, die een wat destyds gesoek is met die bankroof. Hy haal sy selfoon uit en skakel 'n nommer.

"Yes, tjom. Willem hier. Kan jy my 'n favour doen?"

"Jy weet mos ek sal."

"Ek soek info."

Hy gee Sanet se naam en geboortedatum vir sy vriend.

"Hier is 'n vrou wat haarself Michelle Fouché noem. Sy lyk op 'n druppel water soos Sanet."

Willem luister na die onderbreking. "Ja, daai einste Sanet. Ek kan jou nie sê wat nie, maar iets stink. Check haar details vir my uit. Sommer haar familie ook. 'Seblief, tjom, dis dringend."

Willem kyk weer na die bankstaat. Die inbetalings word elke Vrydag gedoen. Die laaste inskrywing op die staat is 'n inbetaling op Barberton en dateer van bykans twee weke gelede. Hy sien die patroon gou raak. Ná elke maandeinde is die inbetalings op 'n ander dorp. Hy dink vinnig. As sy waarneming reg is, sal haar kontak nog in Barberton wees. Miskien moet hy daarheen ry. Hy waag 'n kans deur dit blindelings te doen, maar dalk is dit sal die moeite werd. Mens weet nooit wanneer is jy lucky nie. Barberton is nie groot nie. Hy sal gou 'n mikroleenbesigheid kan opspoor.

18

"Stemmet," antwoord Neville bars toe die telefoon hom in die vroeë oggendure wakker lui.

"Meneer moet kom, ons het 'n roof gehad. Die nagkassier is geskiet."

Neville luister na die detail voor hy self praat. "Ek is op pad. Niemand mag enige verklarings maak voor ek daar is nie. Maak leeg die valkluis en sluit die geld in jou kar se kattebak toe. As hulle iets daaroor vra, sal ek self praat."

Op pad daarheen kom Neville tot verhaal. Dis Michelle wat die roof gereël het! Sy weet waarvoor hy die kontant gebruik en wil natuurlik hê die polisie moet op die geroofde geld afkom. Hy hoop Coen hou kop. Die kanse is goed dat 'n rekord van die note se reeksnommers bestaan. Dit sal verdoemende getuienis teen hom wees.

Die polisie het reeds alles afgesper toe hy daar aankom. Hy kyk na die kassier wat nog agter die toonbank lê, en skud sy kop. Dis nou 'n neukery. Nou moet hy weer een soek wat betroubaar genoeg is. En hulle ís so skaars.

Saam beantwoord hy, Coen en die pompjoggie wat op diens was die polisie se vrae.

"Daar was drie van hulle," sê die joggie. "Hulle het met

117

die voet hier aangekom en straight in die shop gegaan. Ek het gehoor hulle skiet en weggekruip. Toe ek sien hulle is weg, het ek die meneer gebel."

Die polisie wil weet wat vermis word.

"Dis onmoontlik om nou al te sê," antwoord Neville. "Ek moet die kasregisters nagaan. Die rakke lyk nie geplunder nie, maar dit is moontlik dat daar ook goed weg kan wees. Ek sal later 'n lys aflewer. Nou moet ek eers die familie kontak."

Nadat die polisie weg en die lyk verwyder is, begin hulle opruim. Neville gaan die kasregisters persoonlik na. Dankbaar dat die polisie nie daarvan uitgevind het nie, vat hy die kontant wat in Coen se motor toegesluit was. Hy gaan dit nie bank nie. Niemand het gesê daar was geld in die valkluis nie. En wat die polisie betref, dink hulle die meeste geld is gesteel.

Net voor die volgende skof opdaag, is hulle klaar.

Coen, wat Neville die hele tyd dopgehou het, verwonder hom aan Neville se kalm en kliniese optrede. Het die man geen emosies nie? Hier is iemand doodgeskiet en dit lyk of dit die kleinste van sy probleme is.

"Meneer," vra hy toe dit lyk of Neville gaan vertrek, "wat van die kassier se familie? Moet ons hulle nie laat weet nie? Meneer het gesê . . ."

"Ja," antwoord Neville kortaf. "Stuur 'n drywer met die bakkie om sy vrou te gaan haal, dan vertel jy haar. Moet niks sê van versekering nie. Ek wil eers hoor hoeveel hulle gaan uitbetaal."

Coen kan byna nie glo wat hy hoor nie. Toe die polisie daar was, het dit gelyk asof Neville net oor die kassier besorgd is. En nou dit. Hy hoop nie hy kom ooit iets oor nie. Hy sal nie wil hê sy vrou moet só behandel word nie. Maar hy sê niks nie. Hy het immers die salaris nodig.

"Wanneer kom jy weer geld deponeer?"

Michelle herken dadelik Giepie se stem. Vir 'n oomblik voel sy koud. Waar kry hy hierdie nommer? Baie min mense het haar nommer: Neville, Dumesani, Louise, die bank se kredietbestuurder, haar bure – beslis nie Giepie nie.

"Ekskuus?"

"Ek soek geld, Sanet."

Michelle huiwer voor sy antwoord. "Wie praat? Ken ons mekaar?"

"Dis Giepie, Sanet. Moenie maak of jy my nie ken nie."

Sy hou haar asem op. Giepie ken haar net as Susan Bekker. Waar sal hy aan Sanet kom? Voor sy kan antwoord, hoor sy hom weer praat.

"Ek's reg, nè? Jy is nie Susan Bekker nie."

"Ek is jammer, ek weet nie van wie . . ."

Voordat sy kan aangaan, praat Giepie haar dood. "Ek het die koerantberig gesien. Ek wou sê jy lyk bekend."

"Jy't die verkeerde persoon." Michelle druk die foon vies dood.

Toe dit weer lui, antwoord sy nie. So dan is dit Giepie wat haar laat dophou het. Sy sal 'n plan moet maak. Sy kan nie toelaat dat so 'n lafaard haar toekomsplanne verwoes nie.

Dis amper twaalfuur toe Neville by die kantoor kom. Toe hy bars vra "Enige boodskappe?", weet Lelane dat niemand vandag in sy pad moet kom nie.

"Watch out, die baas is behoorlik bedonnerd vandag," waarsku sy vir Duart.

Neville maak heelwat oproepe en kyk tussendeur na die aandeelpryse. Nadat Amerika se beurs skerp in die nag gestyg het, is aandeelpryse besig om te klim. Hy is vies oor die beurs op is. Hy moet weer 'n aankoop maak

119

om die aandele te laat balanseer. Dié wat hy moet terug-koop, het nie gedaal nie. Hulle prys het meer gestyg as dié wat hy moet verkoop. R10 000 in sy maai.

"Kom hier, jou bliksem!" roep hy Duart.

Duart se oë is vol vraagtekens toe hy Neville se kantoor binnekom.

"Ja, Meneer?"

"Wat se blerrie vrot vooruitskattings maak daai pro-gram van jou!"

"Meneer?"

"Ag, vergeet dit. Ek gaan uit. Daar was 'n roof by die garage. Ek moet die versekeringmense gaan sien en sal nie vandag terug wees nie."

Neville voel die brandpyn en gryp met albei hande na sy bors.

"Meneer, wat makeer? Meneer lyk erg wit om die kie-we."

Neville se asem jaag toe hy antwoord: "Sommer niks. Net 'n bietjie bloeddruk. Bring vir my water, ek moet 'n pil sluk."

Michelle wag 'n uur voor sy weer haar telefoon aanska-kel.

"Barberton Micro Lenders, Dumesani speaking."

"Hi, it's me. How is business?"

"Fine, ma'am. Two more days and I'll be finished here. Where do I go next?"

"Dumesani, do you have cash at hand?"

"Yes, ma'am, ten thousand."

"Keep it and take a holiday, you deserve it. Two weeks from today I'll be in Nelspruit and will need you there."

"Where will I get you?"

"I'll phone you when I'm there. Just be around."

"Okay, ma'am."

"Dumesani?"

"Yes , ma'am?"

"Did you give out my number?"

"No, ma'am. Why?"

"I just had a strange call. If anybody ever ask, have a good look at him. Then phone me."

"I'll do so, ma'am. Anything else?"

"Yes, I want to ask you a favour. Please listen carefully . . ." Tevrede dat Dumesani al haar opdragte verstaan, skakel sy haar selfoon af en stap die winkel binne.

Michelle het 'n nuwe selfoon en 'n vooruitbetaalde sim-kaart van 'n ander diensverskaffer in die hand toe sy by die winkel uitkom. Tot tyd en wyl sy vir seker weet wie agter haar aan is, sal sy die ou selfoon net gebruik om na boodskappe te luister.

Tipies versekering, dink Neville. Hulle eisvorm het meer vrae om te beantwoord as wat die polisie gehad het. Hy weet hy sal baie versigtig moet wees terwyl hy dit invul. Waar hy kan, verwys hy net na die verklaring wat hulle aan die polisie gegee het. Hy gee vir hulle 'n lys van items wat weg is en 'n afskrif van elke beëdigde verklaring. Die kontant wat geroof is, gee hy aan as R85 000. Hy vul ook 'n eisvorm vir publieke aanspreeklikheid in – vir die maksimum bedrag. Daar is mos iemand dood, redeneer hy.

Op pad huis toe kry hy weer die warm, kloppende gevoel onder sy tong. Hy is seker dis net stres. Hierdie verdomde roof kom op totaal die verkeerde tyd! Hy sal gaan lê en as dit die volgende dag nie beter is nie, die spesialis gaan spreek.

Willem hou stil by die taxistaanplek op Barberton. Hy klim uit, rek sy arms en bene en kyk om hom rond. Orals staan mense in groepies rond. Die meeste van die taxi's is

121

leeg. Hy hou aan soek tot hy 'n bestuurder sien. Die een is seker so goed soos die ander, dink hy, en stap reguit daarheen.

Willem groet die man in Zulu en knoop 'n gesprek aan. Hy vertel dat hy 'n paar dae gelede by die Fairview-myn begin werk het en bykans sonder geld sit. Hy moet sy broer in Nelspruit gaan haal en soek na 'n plek waar hy kan petrolgeld leen. Die taxibestuurder verwys hom na drie verskillende plekke en beduie hom hoe om daar te kom. Maar as Willem baie haastig is, moet hy glo na Barberton Micro Lenders toe gaan. Die man daar help die mense baie vinnig, maar vra meer rente as die ander plek-ke. Willem besluit om by almal 'n draai te maak. Hy wil nie oorhaastig wees nie. Omdat hy vermoed die besigheid verskuif maandeliks, is sy verwagting dat die kantoor klein sal wees. Waarskynlik niks meer as 'n hokkie met 'n lessenaar en een of twee werkers nie. Hy ry eerste na Barberton Micro Lenders toe. Die taxibestuurder het gesê dit is 'n nuwe besigheid. Dalk is hy lucky.

Daar is 'n handgeskrewe nota op die deur wat sê ene Dumesani is uit en sal ná 'n uur terug wees. Bad luck, dink hy. Hoe lank gelede is die nota opgeplak en hoe lank is 'n uur in terme van Afrika-tyd?

Sy eerste indrukke van die volgende plek is dat dit 'n gevestigde besigheid is. Hoewel die meubels nie nuut lyk nie, is die kantoor ruim. Op elkeen van die drie lessenaars staan 'n rekenaar en 'n telefoon terwyl daar ook 'n faksmasjien en verskeie liasseerkabinette is. Hierdie een kan hy maar voorlopig uitskakel. Indien dit blyk dat een van die ander twee nie die firma is waarna hy soek nie, sal hy môre terugkom.

By die volgende plek gaan Willem nie eers binne nie. Dis nog groter. Hy glo nie dit kan oornag verskuif word nie.

Terug by Barberton Micro Lenders sien Willem dat die deur nog steeds toe is. Hy klim uit en vra by die kafee langsaan. Een van die kassiere sê sy ken die man wat daar werk en weet waar hy moontlik kan wees. Sy beduie vir Willem na die plek waar Dumesani elke dag dag bier drink. Hy kry hom inderdaad in die eethuis. Voor Dumesani staan 'n blikkie Black Label en 'n leë bord. Willem se maag kramp van die honger toe hy die skoongeëte T-been daarin sien lê. Sy lus vir 'n brandewyn en Coke word al groter.

"Hi. Are you Dumesani?" groet hy vriendelik.

Dumesani knik. Willem vertel die storie van sy broer in Nelspruit en vra of hy 'n lening van R300 kan kry.

Dumesani ry saam met hom terug kantoor toe. Hy gaan sit agter die lessenaar, gee vir Willem 'n vorm om te voltooi en vra om sy ID-dokument te sien. Terwyl Dumesani sy kredietrekord telefonies nagaan, luister Willem met aandag na die gesprek wat in Zulu plaasvind, maar kan niks snaaks wys word nie. Die kantoor is warm. Klaar met die telefoongesprek, skuif die kontrak oor na Willem toe. Willem onderdruk 'n uitroep toe hy die naam bo aan die kontrak sien. JHB Micro Lenders trading as Barberton Micro Lenders. Dis hy dié. Dis sy. Hy vul als sorgvuldig in, teken en steek die pakkie tienrandnote in sy sak. G'n wonder die mense word Loan Sharks genoem nie. Die bedrag wat hy aan rente moet betaal, is om van naar te word.

"Before you go, sir," sê Dumesani toe hy opstaan. "I know the contract says you must repay on the twenty ninth, but I just remembered I will not be here that day. I have to see the owner in Nelspruit. Can we agree on one day earlier?"

Willem maak of hy dink. "Okay. But will you give me discount on the interest?"

Dumesani trek sy een oog byna toe. "I don't know. Missis Fouché will not be happy." Hy bly 'n rukkie stil, sê dan: "Okay, you can pay the day thereafter."

"Deal," antwoord Willem. "For that, I'll buy you a drink."

"Eisjh. That will be nice." Dumesani steek sy hand uit. "See you then."

"Give me your business card. May be I'll phone you before then."

Willem steek die kaartjie in sy hempsak en sien dat Dumesani sy tas vat.

"Can I drop you somewhere?"

"Geee, thanks. I'll show you the way."

"Brandy en Coke, asseblief. In 'n lang glas met baie ys." Willem vee sy blink voorkop skoon. "Shit, maar dis warm, hè?"

Die kroegman kyk Willem skeef aan. "Warm? Waar was jy gister?"

"Johannesburg. Ek bly daar." Willem roer die ys met sy wysvinger en lek dit af. "Moedersmelk. Tjorts!" Hy lig die glas en teug daaraan voor hy twee tienrandnote uit die bondel haal wat Dumesani uitgekeer het en vir die kroegman aangee.

"Maak hulle 'n nuwe size note?" vra die kroegman terwyl hy dit in sy geldlaai steek.

Willem vat nog 'n sluk. "Ek weet nie. Hoekom vra jy?"

Die kroegman haal die twee note weer uit die geldlaai. "Check hier. Splinternuut en groter as die ander. Hulle pas styf in die laai. Die gewones nie."

"Gee dat ek sien." Willem haal nog 'n noot uit sy sak en meet dit teen die nuwes. "Moer. Jy's reg! Maar dit kan nie nuwes wees nie. Ek weet. 'n Pel van my werk by die plek waar dit gedruk word. Hy sê nuwes is elke keer kleiner. Nooit groter nie."

Die kroegman vat dit weer by Willem en hou dit op teen die lig.

"Daar is 'n watermerk, oukei. Ek wonder watter dom ou het die goed so lank laat rondlê sonder om dit te gebruik."

Willem skuif 'n twintigrandnoot oor die toonbank. "Gee hulle vir my. Ek sal by my pel gaan uitvind." Dit kriewel in sy maag.

"Wil jy nie maar kom slaap nie, dis al twaalfuur." Neville se vrou staan in die deur van sy studeerkamer en klink moedeloos. "Jy werk deesdae te hard. En jy's nooit meer by die huis nie. Wat maak ek as jy iets oorkom?"

Neville antwoord ongeduldig: "Nog tien minute dan is ek daar."

Hy voel bekommerd. Die simptome wat hy die laaste paar dae ondervind, is dieselfde as wat die spesialis aan hom beskryf het. Daarby word dit daagliks erger.

"Dit is meer as iets om net effens bekommerd oor te wees," onthou hy die spesialis se woorde.

Neville vind dit moeilik om te besluit wat hom die meeste pla. Die feit dat wil voorkom of sy toestand vererger of die aandele wat hy kort is en nie kan vervang nie. As hy nou in die hospitaal moet beland, is dit klaar met hom. Iemand kan op Michelle se geroofde geld in sy kantoor afkom en Michelle kan uitvind hoe hy geld na die nommer 2-rekening kanaliseer. As iemand sy rekenaar gebruik, sal hulle die program kry waarmee hy die makelaar se fakture en state vervals. Boonop kan sy familie uitvind van Michelle. Dêmmit, hy sal iemand in sy vertroue moet neem, maar wie? Hy het net twee mense, Duart en Swarts. Nee, dink hy, nie Duart nie. Hy is te jonk en naïef om die kantoor te beheer. Neville weet ook nie of hy hom met die groot hoeveelheid kontant sal kan opsaal nie. Swarts, wat elke dag met kontant werk en besigheid ken, is dalk die beste opsie om as back-up te gebruik. Dit behoort nie moeilik te wees om hom te betrek nie. Hy weet die man het geld nodig. Dit sal hom laat saamwerk. Die tyd toe Swarts nie werk gehad het nie, het hom finansieel geknou. Hy het al 'n voorskot gevra, maar daar was nog nooit geld kort by die vulstasie nie. Geld sal beslis die man help oortuig. Hel, geld praat met die meeste mense hard.

Neville trek 'n skryfblok nader en begin op 'n skoon vel skryf. Toe hy klaar is, sit hy dit in 'n groot koevert en skryf voorop Noodmaatreëls met Coen Swarts se naam onder dit. Hy sal dit môre in die vulstasie se kluis sit. Uitgeput staan hy op en stap kamer toe. Dit brand weer in sy bors. Die rus sal hom goed doen. Hy sal môre ook sommer 'n afspraak by die spesialis maak. Eers as hy seker is daar is regtig fout, sal hy sy vrou vertel.

Die volgende oggend wag Willem in sy Tazz in die straat waar Dumesani se kantoor is. Toe hy hom sien aankom, lig hy sy kamera en neem twee foto's. Sien jou oor twee weke, dink Willem. As sy vermoede reg is, sal Dumesani daardie dag weer geld kry en na 'n nuwe plek toe verskuif.

Op pad terug Johannesburg toe lui sy selfoon.

"Lotriet Speurdiens."

Dit is 'n assessor van 'n versekeringsmaatskappy. Hy het al saam met hulle gewerk. 'n Nuwe saak sal nou welkom wees. Sy kontant begin min raak en die kommissie wat hy uit 'n versekeringsondersoek gaan verdien, sal baie help. Buitendien, hy het twee weke tyd voor hy moet terug wees in die Laeveld. Hy belowe om die assessor die volgende dag te gaan spreek en druk die selfoon met 'n glimlag dood.

Terug by die tuis laai Willem e-pos af. Behalwe bankstate, kry Michelle nie veel posstukke nie en dié wat sy wel kry, lewer geen leidrade op nie. Saam met die doef-doef-klanke uit die CD-speler tik sy regterhand ritmies op die lessenaar terwyl hy wag vir drie e-posse om in te kom.

"Kom, jou blerrie stadige ding!"

Willem wonder of hy nie na breëband moet oorskakel nie. Dit sal help as hy so haastig is soos nou. Hy moet nog die versekering se assessor gaan sien en 'n noteversame-laar oor daai R10-note van Barberton. Sy hand skiet uit na die muis toe hy sy vriend by Binnelandse Sake se naam op die een e-pos sien.

Willem, dit lyk of jy verniet opgewonde geraak het. Michelle Fouché (voorheen De Villiers) is Sanet de Villiers se suster. Haar man en Sanet is meer as nege jaar gelede in Engeland dood ná 'n motorongeluk. Dat Michelle soos Sanet lyk, is ook nie vir my snaaks nie. Die twee moes 'n tweeling gewees het, want hulle geboortedatums stem ooreen.

Hel, dis nou moerse. Moerse bad news. Willem druk die skanderings wat sy vriend aangeheg het en bestudeer dit. Dis Sanet en Michelle se geboortesertifikate, Michelle se huweliksertifikaat en die bewys van Charlie en Sanet Fouché se dood. Hy staan op en stap uit in die kompleks se parkeerterrein. Hande in die sakke skop hy 'n klippie van die plaveisel af. Shit! As John dit moet uitvind, sal hy die ondersoek stop. Hy kan nie glo dat hy verkeerd was nie. Hy was só seker dat Sanet en Michelle een en dieselfde persoon is. Hy het tyd nodig om hierdie ding te bedink. Voorlopig dan maar eers op die versekeraar se opdrag konsentreer. Dit sal vinniger kontant inbring.

"Die eis is buitensporig groot, Willem."

Willem sit in die assessor se kantoor. Hel, deesdae draai alles om geld, dink hy terwyl die assessor verduidelik van die eis vir geroofde kontant by 'n vulstasie wat hy wil laat ondersoek.

"Ek het bewyse nodig. Ek wil weet hoe groot is die besigheid se daaglikse omset, hoe gereeld word geld gebank, wat is die mengsel tussen kontant en kaarttransaksies en watter sekuriteitsmaatreëls is daar by die vulstasie. My somme wys dat daar heelwat meer as een dag se kontant geëis word. En die eienaar is baie ontwykend met sy antwoorde."

Willem frons terwyl hy na die syfers kyk.

"Dit hang af hoeveel hy pomp."

"Seker nie veel nie," lag die assessor. "Hy is reeds agt en vyftig."

Willem proes en praat dan verder. "As dit minder as 450 000 liter 'n maand is, sal ek sê hy bullshit jou."

"Ek stem saam, Willem, die man is heeltemal te glibberig na my sin. Hy het tot die bestuurder opdrag gegee om nie met ons te praat nie."

"Gee my 'n week. Ek sal jou nie drop nie, jy weet mos. Hierdie is sommer tjop-tjop."

19

Die Sondagoggend ná die kantoorfunksie word Anja laat wakker. Dit is stil in John se huis. Sy is bly hy is al wakker en weg. Sy was nie daarop voorbereid om oor te slaap nie en het net haar onderklere aan. Buite blaf 'n hond. Anja staan op, trek vinnig aan en kyk deur die venster. John sit op sy hurke en steek plantjies in die grond. Sy foksie, Oubaas, staan stertswaaiend langs hom met 'n tennisbal in die bek. John vryf eers sy kop voor hy die bal afvat en hoek toe gooi. Dis lekker om hom te sien lag toe die hond in dolle vaart 'n wilde systap moet uitvoer om nie teen een van die lapa se hoekpale te bots nie. As hy so is, of soos die vorige aand, verdwyn haar onsekerhede. Dan sien sy kans sien om ernstig oor hierdie verhouding te dink. Hy was die ideale gasheer. Hy het gelag, gesels en grappe vertel. Komplimente uitgedeel en voor almal gesê sy is die beste ding wat met hom kon gebeur. Hy het haar mooi en spesiaal laat voel.

Sy kyk rond vir haar selfoon en onthou dat John dit die vorige aand in sy studeerkamer op die laaier gaan sit het. Hy sal haar gelukkig maak, dink sy met 'n warm gevoel in die bors. Hy dink aan alles. In die woonkamer hoor sy Neil Diamond se stem uit die klankstelsel kom.

Haar lippe vorm geluidloos die woorde saam terwyl sy verbyloop.

You are the sun, I am the moon, you are the words, I am the tune . . .

In die studeerkamer haal sy haar selfoon van die laaier af, gaan sit agter sy lessenaar en skakel gou die hospitaal. Sy is bekommerd oor 'n pasiënt. Voordat die saalsuster antwoord, vang die opskrif van die lêer haar oog.

W J Lotriet: Opsporing Sanet de Villiers

Sy voel haar hand bewe toe sy dit oopmaak. Daar is twee foto's van 'n blonde meisie. Anja skat sy is in haar laat twintigs of vroeë dertigs. Sy wonder of Willem, noudat sy daarvan weet, bereid sal wees om dit met haar te bespreek. Die volgende bladsy is 'n afskrif van John se opdrag aan Willem. Haar ore suis en haar kop voel of dit wil disintegreer toe sy "geroofde geld" lees. Sy kyk skuldig deur se kant toe en blaai vinnig verder. Agter in die lêer is 'n afskrif van die koerantuitknipsel oor John se inhegtenisneming. Dan is dít hoekom Willem wou weet vanwaar sy John ken. Hoekom het Willem haar nie vertel nie? Erger nog, hoekom het John nooit iets gesê nie? Sanet was destyds gesoek vir ondervraging, lees sy. Sou hulle haar gekry het? En hoekom soek John haar nou weer? Anja voel naar. 'n Bankroof. 'n Ander vrou. John kon haar darem self daarvan vertel het.

By die voordeur druk sy die knoppie wat die hek laat oopgaan. Sy maak die deur sag agter haar toe en ry sonder om te groet. Die wasigheid voor haar oë en die brandgevoel in haar keel begin ná 'n paar kilometer opklaar en plekmaak vir woede. So 'n vark! Hier sit sy, verlief tot in die hoeveelste graad, en hy gebruik haar net. Hoe moes hy nie in sy mou vir haar lag nie?! Goedgelowige Anja. Hy het haar onder 'n wanindruk gebring. Hy het haar misbruik. En as hy weet wat goed vir hom is, bel hy nooit

130

weer nie. Anja sluk 'n snik terug. Hoe de hel raak sy altyd met die gomtorre in die lewe deurmekaar?

Willem kyk in die truspieël terwyl die lig rooi is. Hy hoor Rentia praat, maar neem nie in wat sy sê nie. Sy oë probeer fokus op die motors agter hom. Die Tazz skiet vorentoe toe hy die petrolpedaal wegtrap. By die volgende straat draai hy af. Sy oë soek weer in die spieël.

"Willem! Luister jy?"

"Nee."

Rentia sug. "Ek praat my malle verstand af en jy staar soos 'n zombie in jou spieël. Ek sê, jy ry verkeerd."

"Ek weet. Ek het 'n tail opgetel."

"'n Wat?"

"Ons word agtervolg. Sien jy die rooi Peugeot?"

Rentia kyk deur die agterruit. "Ja, maar hoe weet jy dit?"

"Ek sal jou wys," antwoord hy. Steeds kortaf. "Jy kan noem waar ons moet draai. Dan kyk jy of daai kar dit ook doen."

Twee systrate later glo sy hom. "Hoekom dink jy doen hy dit?"

"Ek dink iemand watch my," antwoord Willem en begin met 'n ompad terug ry in die rigting van sy huis.

"Daar's nou die dag ingebreek in my huis. Niks is gesteel nie, maar baie lêers is deursoek. Ek is seker een van my ondersoeke het iemand op hol. Daar moet twee wees. Ek dink hierdie ou tail my. As hy seker is daar sal genoeg tyd wees, snuffel die ander een in my lêers vir inligting."

"Laat ek raai. Jy glo dis die vrou van John se saak."

"Exactly. Maar dis nie meer John se saak nie. Dis nou myne."

"Hoe meen jy dis nie meer John se saak nie?"

"Dis een van die dinge wat my pla. Hy het die ondersoek gestaak. Dít nadat ek vir hom gesê het ek is baie amper daar. Ek kort net een link. Genuine. Maar ek is reg vir die spul amateurs." Hy kyk weer in sy truspieël. "Dis omtrent twee kilo's huis toe. Ek gaan hier voor stilhou by 'n garagewinkel. Ek verwag hy sal verbyry. Terwyl ek binne is, vat jy die wiel."

Hy weet hy is reg toe sy selfoon in die winkel biep. Dis die sein wat sy rekenaar nou uitstuur as iemand sy huis betree.

Willem het 'n koerant en 'n tweeliter Coke in sy hand toe hy weer in sy kar klim. Dié keer aan die passasierskant. Hy laat Rentia die Peugeot verbygaan en twee strate verder afdraai. Sy oë deursoek die sypaadjie vir 'n wegkruipplek. Hulle is reeds naby genoeg aan sy huis dat hy verder sal kan draf. Hy kyk om. Die pad is nog skoon.

"Stop hier. Vinnig!"

Willem spring uit en rol agter 'n struik in. Hy wag tot hy seker is sy word gevolg en albei motors buite sig is voor hy begin draf. By die boonste hek van sy kompleks kyk hy op sy horlosie. Hy moes hom met die afstand misreken het. Dis reeds vyftien minute vandat hy begin draf het. Hy sluit die hek oop en draf verder aan die agterkant van die ry huise waarin syne staan. Plek-plek moet hy koes vir wasgoed.

Rentia hou aan met ry en kyk gereeld of sy gevolg word. Willem moet net nie onverantwoordelik optree nie. Hy's nou wel nie die man van haar drome nie, maar hulle het goeie vriende geword. En dit help niks dat sy weet hy tevore al sulke situasies moes trotseer nie! Haar agtervolger moet net nie agterkom dat sy nou alleen in die kar is nie. Nadat sy 'n paar draaie gery het, draai sy by 'n winkelsentrum se parkeerterrein in, parkeer vinnig en drafstap tot binne. Dankbaar dat daar heelwat mense is, gaan sit sy in die Mugg & Bean.

Haar koffie is onaangeraak en reeds koud voor haar selfoon lui.

Twee huise voor syne stop Willem om sy tekkies uit te trek en sy asem terug te kry. Bly dat hy voorbereid was, haal hy die pistool wat hy vroeër die dag buitenshuis versteek het uit. Gebukkend sluip hy tot by die agterdeur, wat hy doelbewus ongesluit gelaat het. Hy stoot dit effens oop. Die goed geoliede skarniere maak geen geluid nie. Al wat hy hoor, is papiergeluide. Hy weet hy gaan 'n kans neem en druk die deur ver genoeg oop om in te gaan. Die geluide kan net uit die studeerkamer kom. Afhangende van waar in die vertrek die persoon is, kan hy moontlik twee meter ver vir die inbreker sigbaar wees.

Willem weet hy het dit gemaak toe hy langs die studeerkamerdeur staan. As daar net een persoon in die vertrek is, is die verrassingselement aan Willem se kant. Hy loer versigtig, maar vinnig in. 'n Man sit en krap in een van sy lêers. Langs hom lê 'n selfoon. Willem ruk sy kop terug. Fok! As hy nie self vir Butch van Vollenhoven gevang het nie, sou hy gesweer het dis hy. Maar Butch is veronderstel om salig in die tjoekie te wees. Hy vat die pistool in albei hande vas en beweeg blitsig in.

"Don't move!"

Die man spring op. Willem rig die pistool op hom en sien die skok op sy gesig.

"Jy!"

"Ja, Butch, ek. Wat de fok soek jy in my huis?"

Butch staan of hy versteen is.

"Of het jy reeds gekry waarna jy soek?"

Butch sê steeds niks, maar knik sy kop.

"Praat, Butch! Wie het jou gestuur?"

133

"Ek hoef niks te sê nie," brom hy.

"Harregat, nè!"

Butch bly weer stil.

"Moet ek vir Ephraim laat kom? Jy onthou seker my adjudant wat so goed is met ondervraging?"

Butch se oë sak in die rigting van sy krom linkerpinkie. "En jy is net braaf as jy nie alleen is nie, of agter 'n skietyster se loop wegkruip."

"Dis hoekom ek hom dra. Toe, move. Om die tafel. Trek die stoel tot teen die muur en gaan sit. Maar stadig. Ek wil nie bloed op my sebravel hê nie."

Die pistool in sy hande volg elke beweging. Hy wag tot Butch sit voor hy weer praat. "Ek vra weer: wie het jou gestuur?"

"Jy moet dink ek is stupid. As ek klaar gepraat het, sal jy my any case terugvat."

"Jou stupid fool. Oukei. Ek sal jou 'n deal maak. Jy praat en ek bly stil." Hy hoop Butch oorweeg dit. "Anders gaan jy in elk geval terug Cullinan toe," probeer Willem hom verder bangpraat.

"Ek weet nie wat haar naam is nie," antwoord Butch.

"Die fok weet, vandag moet jy my nie tart nie, Butch. Dit het my donners lank gevat om laas jou gemors skoon te maak. Praat!"

Butch huiwer. Willem haal sy selfoon uit.

"Ek is seker hulle soek jou, Butch."

"Oukei. Michelle. Haar naam is Michelle. Dis al wat ek weet."

"Hoe het sy jou dienste bekom? Of adverteer jy nou?"

Butch gee hom 'n vuil kyk.

"Het jy gekry wat jy soek?"

"Nog 'n paar minute en ek sou weg gewees het."

"Nou lees dan klaar." Willem gooi die lêer voor hom. Sy pistool se loop mik nog reguit na Butch se kop.

Butch huiwer.

"Tel op en lees, Butch! Of moet missy dit ook vir jou doen?"

Butch tel die lêer op en laat sy oë daaroor gly. Ná 'n rukkie kyk hy op.

"Oukei, Butch. Nou bel jy haar en vertel wat jy gelees het. Stel haar mooi gerus. Nee, wag. Stop eers daai stuk stront wat agter my meisie aanry."

Willem vat die lêer by Butch en gee die selfoon aan.

Butch maak die eerste oproep.

"Staak maar die agtervolging. Kry my oor 'n uur op die gewone plek." Butch bly 'n paar oomblikke stil en praat weer. "Ja, ek het gekry wat ek soek," sê hy en druk die foon dood.

Willem beduie met die pistool. "Volgende."

Butch soek 'n nommer en skakel weer.

"Michelle? Butch. Hier's niks. Al wat ek uit die file kan agterkom, is dat die stupid PI by 'n verkeerde adres was."

Willem staan op. Hy vat Butch se selfoon en skryf die nommers af wat hy geskakel het. Daarna vee hy alle besonderhede van kontakte op die foon uit, maak dit oop en verwyder die sim-kaart.

"Right, Butch. Hande teen die muur. Voete wyd. En sta-dig, nè. Jy weet mos."

Hy nader hom skuins van agter. Sy pistool se kolf klap teen Butch se slaap.

Vanaf sy landlyn skakel hy 'n kontak in die polisie.

"Tjom, ek het iemand hier wat ek seker is julle soek, Butch van Vollenhoven. Gevang inbreek in my huis. Jip. Toe ek hom twee jaar gelede gevang het, het hy vyf jaar gekry."

Hy luister na die speurder se antwoord. "Goed. Ek hou hom hier tot jy terugkom na my toe."

Daarna bel hy eers vir Rentia.

20

"**W**at gaan hier aan?! Kyk hoe vieslik is die bedkaart ingevul!" Anja se stem sweepslag deur die saal. "Mens sal sweer die een wat hier geskryf het, het graad een gedop! Hoe dink julle moet ek dit lees? En kyk net hoe vinnig is daai drup gestel! Magtag, kan mens julle nie eers een dag alleen los nie!" Rooi vlekke slaan op haar wange uit terwyl sy die verpleegster aangluur. "Die kind se koors was baie hoog. Hoekom is ek nie uitgeroep nie!" tier sy voort.

"Maar dokter . . ."

"Moenie my 'maar dokter' nie!"

Die verpleegster antwoord haar nie.

"En hierdie kind se medisyne is op die verkeerde tyd toegedien! Nee hel, só kan dit nie aangaan nie!"

Sy slaan niks oor nie, kontroleer elke apparaat se lesing en vind met amper elke item fout. Elkeen word uitgetrap.

Die saalsuster kyk oorbluf na die verpleegster. "Ek het haar nog nooit so gesien nie." Sy skud haar kop in ongeloof. "Dis die een dokter wat ek nog nooit 'n tantrum sien gooi het nie. Ek weet sy het rede gehad om omgekrap te wees omdat 'n kind op die verkeerde tyd medisyne gekry het, maar so 'n tirade is darem te erg. Al die bedkaarte is deur dieselfde staf opgeskryf. Wat maak een dan anders? By dit alles was dit die nagstaf wat laaste op die bedkaarte geskryf het. Ai tog, dit gaan 'n lang dag wees."

Rentia kry vir Anja in die koffiekroeg. "Hei, wat gaan daar in jou saal aan? Die klomp lyk verskrik."

"Ag, shut up, Rentia. Ek doen net my werk." Anja se oë flits boos.

"Hokaai, Anja, kom nou. Wat gaan aan?"

"Ekskuus, Rentia, kan ons liewers vanaand gesels?"

Toe die eerste pasiënt inkom, is Anja kalm. Soos gewoonlik is sy professioneel in haar optrede. Veral die kleintjies word eers op hulle gemak gestel voordat sy met haar ondersoek begin. Gelukkig is dit 'n besige dag. Die mense stroom in en Anja kry nie tyd om oor enigiets te tob nie. Vir die res van die dag kom sy nie een maal in die koffiekamer nie en werk soos 'n masjien.

Skuins oorkant die vulstasie is 'n bushalte. Omdat Willem alles maklik van daar af kan dophou, het hy homself hier tuisgemaak. Baie van die voetgangers vertel vir hom daar loop nie meer busse nie. Sy antwoord is elke keer dieselfde: "I know, I'm just resting my feet."

Op sy skoot is 'n notaboek en 'n pen. Hy tel die voertuie wat brandstof ingooi. Hy skryf ook die dag en tyd neer sodat hy kan sien watter tye en dae dit besig is. Van die dieselpomp se voertuie hou hy apart telling omdat hulle gewoonlik baie meer brandstof as die ander voertuie ingooi. Hy kan ook sien hoeveel mense by die winkel in- en uitgaan. Later, wanneer hy voel dat hy genoeg gesien het, sal hy self gaan brandstof ingooi. Dit sal hom geleentheid gee om uit te klim en te sien wat gemiddeld per motor spandeer word.

Hy betrap hom telkens dat sy gedagtes dwaal. Hy mis twee voertuie wat volmaak. Michelle Fouché moet bang wees, anders sou sy nooit vir Butch gestuur het nie. Hy kyk op sy horlosie en sug. Dis tienuur en nog te vroeg vir 'n dop. 'n Brandewyn en Coke sal hierdie hitte draagliker maak. Hy besluit om 'n Coke by die QuickShop te gaan koop en hoop hy sien die bestuurder daar binne. As hy met hom 'n praatjie aanknoop, kan hy dalk iets uitvis. Hy staan op en stap oor die straat.

Omdat hy die enigste persoon in die winkel is, weet hy dat hy maklik dopgehou kan word. Hy sal dus die voorraad onopsigtelik moet tel. Willem haal verskeie van die lekkergoed uit die rak, net om dit weer terug te sit. Hy hoop hy lyk besluiteloos. Klaar gekyk na die lekkergoedrakke, vat hy 'n Coke en 'n pakkie aartappelskyfies. By die toonbank vra hy vir 'n cornish-pastei en kyk rond. Hy sien niks snaaks nie. Hy sal liewers weer moet kom as daar baie mense in die winkel is. Dit sal help om 'n aanduiding te kry oor hoeveel geld per kliënt spandeer word. Sonder om sy kleingeld na te gaan, steek hy dit in sy sak.

Terug by die bushalte maak hy 'n klompie notas. Die hoeveelheid rakke, aantal lekkergoedhouers op een rak en ook die geskatte hoeveelheid lekkers in een houer. Die koeldranke en pasteie sal hy die volgende dag probeer tel en die dag daarna die sigarette en kondome. Hy maak 'n opsomming in sy notaboek.

Nog 'n voetganger vra of hy vir die bus wag.

"Ek sit sommer," antwoord Willem. "Sê my, is daar 'n pub naby? Shit, hierdie son brand."

Die man beduie. Willem wil net loop toe hy iemand by die winkel sien uitkom. Dit moet die bestuurder wees, daar was niemand binne nie, so die man moes in die kantoor wees. Hy haal 'n verkyker uit sy broeksak. Dis 'n klein model, maar gee 'n helder beeld. Die man se aktetas trek Willem se aandag. Dis onverskillig, dink hy wanneer hy sien dit word in die kar se bak gesit. As daar geld in is, maak hy van homself 'n maklike teiken vir 'n roof. Willem bekyk die man goed en skryf die tyd en registrasienommer neer. Môre sal hy 'n halfuur of wat vroeër 'n draai maak. Miskien sien hy as die kasregister leeggemaak word. Geduldig tel hy weer mense en voertuie verder. Een van die pompjoggies wys in sy rigting. As hy 'n paar dae ná mekaar daar sit, sal hulle daaroor begin praat. Op soek na 'n ander plek vir môre, begin hy rondkyk. Behalwe leë sypaadjies kan hy geen ander geskikte plek raaksien nie en besluit om naby die winkelsentrum, waar sy motor geparkeer is, te gaan kyk. Daar is plek vanwaar hy die rybaan kan sien, maar nie die ingang na die QuickShop nie. Daar is ook nie skaduwee nie. Hy loop verder. Toe hy die straatverkopers op die oorkantste hoek sien sit, weet hy wat om te doen. Maar eers beter hy 'n kroeg soek. Sy hemp se kraag is al sopnat.

Die internetkafee op Worcester is bykans leeg. Net een van die rekenaars is besig toe Michelle daar instap. Sy het Louise pas by die skool afgelaai. Sy het later 'n afspraak met Renier en moet haarself intussen besig hou.

Heel eerste laai sy e-pos af. Daar is nie veel nie, net 'n rekening van die boekhouer en 'n kort briefie van haar buurvrou wat sê alles gaan goed. Behalwe dat die sekuriteitswag glo vertel het van 'n bakkie wat die vorige aand regoor die huis stilgehou het. Die man het 'n hond by hom gehad en lank na die huis gekyk, maar nie uitgeklim nie. Omdat die wag nie wou hê die man moet hom sien nie, het hy in die donker onder die lapa bly sit en nie probeer om die bakkie se nommer kry nie.

Sy antwoord met 'n kort briefie en sluit af deur te noem

dat sy beplan om nog 'n paar weke te bly sodat sy vir Louise kan saambring huis toe vir die vakansie.

Hierna doen sy haar banksake. Heel eerste kontroleer sy haar persoonlike rekening, daarna die geldmarkrekeninge. Die laaste oordragte wat sy gemaak het, saam met 'n bedrag vir rente, het haar balans 'n baie goeie hupstoot gegee. Sy is só naby aan haar doelwit. Miskien moet sy begin uitkyk vir 'n plek in die Kaap. Ook die besigheidsrekening se items word almal gekontroleer: tjeks wat sy moes uitskryf, oordragte en bankkoste. Die makelaar se inbetalings is die enigste item wat sy nie self kan beheer nie. Al weet sy die boekhouer sal dit vergelyk met die maandstate, kyk sy tog daarna. Twee items trek dadelik haar aandag. Albei is inbetalings vanaf die makelaar en daarby op dieselfde dag. Sy sit effens agteroor en kyk op na die plafon. Dis vreemd. Die een beskrywing is in Afrikaans en die ander in Engels. Michelle gaan terug na die vorige state. Daar is fyn plooitjies om haar oë. Met haar wysvinger druk sy elke keer op die skerm by die makelaar se inbetalings. Dis net drie maande waar beskrywings in Engels voorkom. Al die ander is in Afrikaans. Michelle druk kopieë van elke staat waarop daar inbetalings met Engelse beskrywings voorkom en vra die toonbankassistent om skanderings te maak. Nadat sy die boekhouer se rekening betaal het, stuur sy vir hom 'n boodskap en heg die skanderings aan. Hy moet die inbetalings ondersoek en terugkom na haar toe. Dit is dringend, maar hy moet probeer om nie aandag te trek met sy navrae nie. Daar is dalk 'n rede voor en sy wil nie onnodig spoke opjaag nie.

Willem gaan sit by die kroegtoonbank. Behalwe vir die kroegman en 'n paar jong mans wat pool speel, is daar nie ander mense nie.

"Brandy en Coke, in 'n lang glas met baie ys."

Op die TV teen die muur agter die kroegman se rug wys die Formule Een.

"Is dit nou Sondag se highlights hierdie? Dit lyk soos Silverstone. Weet jy, Schummie het sy handtekening vir my daar gegee." Oor die rand van sy glas beduie Willem met sy oë in die rigting van die TV. "Ek het so 'n moerse poster van dieselfde draai."

Hy haal geld uit sy agtersak en sit dit op die toonbank neer. Hy sien die dubbelgevoude nuwe noot toe die kroegman dit vat.

"Wag, los daardie een." Willem tel dit self op en kyk daarna.

"Wat's fout daarmee?"

"Niks nie, dit lyk wel nuut, maar dis baie oud. Kyk, dis groter as die gewone." Hy hou twee teen mekaar dat die kroegman die verskil kan sien.

"Jy't dit seker maar êrens vir change gekry, china. 'n Broke ou moes êrens met 'n versamelstuk gekoop het. Maar chieng is chieng, of wat sê ek alles?"

"Exactly!" Willem roer sy brandewyn met sy wysvinger. Hy het dit.

Sy glas bly halfvol op die kroegtoonbank staan.

Tuis meet hy dit teen die twee note wat hy as bewys in Sanet/Michelle se lêer gesit het. Die grootte is presies dieselfde. Hy kan nie glo dat dit toeval is nie. As hy net kan onthou waar hy die nuwe een gekry het.

Nadat hy by die bank was, maak Coen Swarts eers 'n draai by die huis.

"Kan ek tee kry, asseblief?" vra hy vir sy vrou. "Ek het net gou kom sê ek gaan laat wees vandag. Neville het gebel, hy wil hê ek moet nog 'n kluis laat insit. 'n Kleiner een. Verbeel jou, 'n kluis binne in 'n kluis."

141

"Hoe so? Dit lyk my dié baas van jou is 'n snaakse man." Sy gee Coen se tee aan.

Hy is verras – sy vrou klink vriendeliker as die vorige klompie dae. Hy gooi suiker in en roer dit stadig.

"Jip. Jy kan dit weer sê. Dis 'n snaakse opset. Die geld wat inkom word alles in die till opgelui. Die kleingeld kom uit 'n ander een. Dis wat so snaaks is. Die baas vul elke dag die kleingeld se vlakke self aan. Ek het die kleingeldnote goed bekyk, hulle is groter as dié wat in omloop is."

"Is dit vervalsings?"

"Nee. Dis nie vervalsings nie. Dis ou note. Ek sweer dis warm geld wat hy êrens opgegaar het. Daar is selfs daarvan in die loonkoeverte. Boonop is daar nog die program wat sy state druk. Jy onthou mos, die een wat ek moes verander om soos sy makelaar s'n te lyk. Ek mag ook nie praat oor die roof nie. Almal moet deur hom werk. Hy het tot my polisieverklaring self uitgeskryf. Ek moes net teken. Iets kook, maar ek weet nie wat nie."

"Miskien moet jy met hulle gaan praat."

Coen laat sak sy kop in sy hand. "Hulle sal net vir my lag. Die geld makeer niks. Watermerk, alles in orde. Dis net oud. Verder, hoe bewys mens hy kook die state as jy dit nie self sien nie? En waar kry ek 'n ander werk as hy dit agterkom en my fire?" Hy staan op en soen haar op die wang. "Ek moet ry. Ek moet nog baie doen voor die mense van die kluis kom."

Teen vieruur daag die installeerders by die winkel op. Coen bestel brandstof, kontroleer die winkel se voorraadvlakke en skryf die kasboek op.

"Ons is klaar. Jy kan maar toets," sê die voorman ná 'n ruk.

Dit was vinnig. Hulle was net meer as 'n halfuur besig.

Net voor die mense ry, daag Neville ook daar op. Hulle wys hom alles en oorhandig die sleutels.

"Wil meneer 'n koeldrank hê? Ek sal gou kry."

"Ja, dankie."

Coen kyk verbaas op. Dis die heel eerste keer dat hy die baas daardie woord hoor gebruik.

"Sit, ek wil met jou praat," sê Neville toe hy die blikkie oopmaak.

Die baas is weer sy gewone self. Kortaf, saaklik en nors. Liewe hemel, wat se tipe mens swaai so vinnig om? wonder Coen.

"Ek is besig om siek te word. Hartmoeilikheid."

"Ek is jammer om dit te hoor."

"Spaar jou asem en luister. Die nuwe kluis is vir die kleingeld. Kyk, ek het al gesien ek kan jou vertrou. Van jy hier werk, was daar nog nooit geld kort nie. Jy doen goeie werk."

Dit moes baie gevat het van die baas om so iets te sê.

"Die kluis in my ander kantoor is te klein, daarom wil ek die geld hierin sit."

Coen het intussen stil geword. Hy luister aandagtig.

"Hier is ook 'n koevert met opdragte ingeval ek iets oorkom. Jy mag dit onder geen ander omstandighede oopmaak nie. As iets gebeur, sal my vrou jou laat weet. Dan maak jy die koevert oop en los álles waarmee jy besig is. Doen presies wat daarin staan, en ek bedoel elke woord wat ek sê."

Coen is bekommerd. Neville is ernstig.

"Dis nie dalk iets onwettigs nie, meneer?" waag hy die vraag.

"Moenie vrae vra nie, Swarts!" Neville neem nog 'n sluk koeldrank. "Daar is nog een ding wat nie in die notas verduidelik word nie. Dit is net 'n nommer. Dis die kombinasie van my kantoor se kluis. Daarbinne sal jy 'n selfoon kry. Die pin kode is vyf nulle. Op die selfoon is een nommer gestoor. Stuur daarheen 'n SMS. Sê ek is siek of dood. Hou dit kort en saaklik. Haal die sim-kaart uit en vernietig dit. En as ek sê vernietig, dan bedoel ek vernietig. Niemand anders mag weet van die SMS nie. Niemand nie."

"Hel, meneer, dit . . ."

"Gaan jy dit doen, of moet ek iemand anders kry?!" Neville klink baie kwaad.

"Dis reg, meneer" sê Coen, duidelik verbaas.

Neville haal 'n koevert uit sy baadjie se binnesak. "Joune. Waaroor ons nou gepraat het, bly in hierdie kantoor. Nie eers jou vrou mag weet nie, hoor jy!"

Nadat Neville gery het, maak Coen die koevert oop. R10 000, alles in note. Dit sal die eerste keer wees dat hy iets vir sy vrou moet wegsteek. Hy weet nie hoe hy dit gaan regkry nie; al wat hy weet, is dat hy dit sal moet doen.

Rentia wag al toe Anja laatmiddag, omtrent 'n uur later as gewoonlik, uit haar spreekkamer kom.

"Kom ons ry. Ek is poegaai."

Anja is stil in die kar. Sy praat min terwyl sy die druk verkeer aandurf.

By haar woonstel maak sy koffie.

"Hei," Rentia trek grootoog vir Anja, "jy gaan jou nog dooddrink aan daardie gif."

Anja skud haar kop. "Ek weet tot waar ek kan gaan."

"En jou partytjie van Saterdagaand, hoe was dit? Of is dit dalk die oorsaak van jou toestand?"

Vir die eerste keer vandat hulle by die hospitaal weg is, lyk dit of Anja wil praat.

"Sê maar so. Maar dis eintlik nie dit nie. Hy was cute, die hele aand."

"Nou wat's jou probleem dan?"

"Ek dink hy't 'n ander meisie."

"Wat? Het hy nog 'n meisie? Wie?"

"Ek weet nie of sy regtig sy meisie is nie."

"Nou wat dan? Ag nee, vertel van voor af, jong."

"Die oggend na die partytjie het ek in John se studeer-kamer my selfoon gaan haal en 'n lêer op sy lessenaar gesien."

"Klink na 'n goeie aand," mompel Rentia.

"Dis nie die punt nie, Rentia!"

"Sorry. Ek sê net. So, wat van die lêer?"

"Dis Willem se lêer. Of eerder, dis 'n saak waaraan Wil-lem werk. Op die oog af lyk dit of John na 'n vrou soek. Ek het die foto gesien. Sy is baie mooi."

"So, dit kan enige iemand wees."

"Ja, maar dis nie al nie. Dis eintlik nog net die begin . . ."

Hoe verder sy vertel, hoe groter rek Rentia se oë.

"As hy nie deel van daardie bankroof was nie, hoekom het hy my nooit daarvan gesê nie? Hoekom so iets ge-heim hou? En nou soek hy boonop die girl. Dit lyk of die polisie haar ook as verdagte gesoek het. Hulle was waar-skynlik op 'n manier saam, in 'n verhouding of iets. Ek sê jou ek is platgeslaan, Rentia."

"Hel. En wat sê hy?"

"Ek het nie met hom gepraat nie. Ek is net daar weg."

"Wil jy hom nog hê?"

"Nie soos ek nou voel nie. Hy het my bedrieg. Ek voel . . . ek weet nie. Al wat ek weet is dat ek nie gou weer met hom sal praat nie."

Anja gooi nog koffie in. "Vir jou ook?"

"Nee, dankie, ek het genoeg gehad."

"Hy was so sag met my. Heelaand. Vertel vir my hy het my lief." Anja sug. "Dit terwyl hy só iets vir my weg-steek."

145

Sy bly 'n rukkie stil en neem 'n sluk van haar koffie. "Aag, ek weet nie. Dalk maak ek dit erger as wat dit is."

Sy staar by Rentia verby.

"Ek dink hy was gistermiddag hier. John. Ligte bruin hare. Gebou soos 'n rugbyspeler. Hy't geklop, maar jy was nie hier nie. Toe loop hy weer."

"Dis hy. En ek was hier. Ek wou net niemand sien nie."

"Bel hom, toe." Rentia wys na die perkuleerder. "Hier's nog baie koffie."

"Nee, nie vanaand nie. Ek wil dink."

Rentia staan op.

"Rentia, as jy weer vir Willem sien, sê vir hom ek wil met hom praat."

"Nou begin jy jou breins gebruik. Ek stuur hom."

Terwyl hy aanstap na Anja se woonstel, wonder John hoe Willem vaar. Vandat Sanet, of eintlik Michelle, opgespoor is, kon hy nog nie weer vordering rapporteer nie. Willem sê net sy is weg, hy kan haar nie dophou om te sien met wie sy kontak maak nie en haar posstukke toon geen verbinding met enigiemand anders nie. Hy sal Willem nog 'n paar dae tyd gee. As hy teen Vrydag nog nie resultate het nie, kry hy iemand anders. Dit sal jammer wees, maar hy wil nou finaal weet of sy die geld het.

Hy kyk na die selfoon in sy hand. Sal hy nog 'n keer probeer om Anja te skakel? Sy moes op die lêer van Sanet afgekom het. Of sy kwaad is oor hy nog nooit van Sanet vertel het nie, of sy inhegtenisneming verswyg het, weet hy nie. Hy het al twee keer na haar gery en tot vervelens toe gebel. Sy antwoord nie haar foon nie. Hoekom gee sy hom nie 'n kans om te probeer verduidelik nie? Al wat hy weet, is dat hy niks kan doen wat sy geskiedenis gaan wegvat nie. As hy en Anja vir mekaar bedoel is, sal sy

146

daarmee moet saamleef. Miskien moet hy nog een keer ry.

Voor John aan Anja se deur kan klop, gaan dit vanself oop. Willem staan die deur toe, agter hom kom Anja aan. Hy weet hy sal nie sy verbasing kan wegsteek nie.

"Willem, die wêreld is klein, nè. Ek het nie geweet julle ken mekaar nie."

"Exactly. Dat ek dit ook nou moet uitvind."

John kyk vraend na Anja.

"Willem en my vriendin Rentia is bevriend. Hy het kom reëlings tref vir 'n potloodskets." Sy kyk na Willem. "Ek wag vir jou oproep."

Willem kyk vir oulaas na Anja voor hy verby John skuur.

"Kom in, John."

John wonder of hy op 'n stoel moet gaan sit en of sy na hom toe sal kom as hy op die rusbank besluit. Hy kies die stoel.

"Kan ek jou iets vertel?" vra hy toe sy ook sit. Sy antwoord nie, maar knik net.

Anja kon nog nie ordentlik met Willem gesels oor die lêer nie. Hy was ontwykend en net mooi toe sy dink hy sal verduidelik, daag John op! Nou vertel John haar van Sanet, Sias en sy inhegtenisneming. Ook van sy tyd in die selle en die ondervraging. Die feit dat sy pa hom nie geglo het nie, hou hy as motivering vir sy soektog na Sanet voor. Dat hy destyds geweet het waarby Sanet en Sias betrokke was, verswyg hy. Soos hy vir Willem gesê het, niemand sou geglo het hy is onskuldig en het hulle net vervoer nie.

Anja hou hom dop terwyl hy praat. Aan sy houding en stemtoon kan sy agterkom dat dit nie vir hom maklik is om oor sy verlede te praat nie. Die kere dat hy homself kort rukkies onderbreek, wonder sy of hy die regte woorde

147

soek en of hy vinnig aan iets probeer dink om die waar-
heid te verdraai. Sy weet dis nie reg nie, en onthou dat
Willem gesê het sy moenie aannames maak nie, maar die
twyfel is, soos gister se trane, duidelik in haar gemoed.

"Jy wonder seker hoekom ek jou nie vertel het nie," sug
hy. "Dis nie dat ek dit wou wegsteek nie. Maar ek wou
eers sekerheid hê oor Sanet en die hele spul." Hy staan
op, gaan sit langs haar en vat haar hand. "Ek is regtig jam-
mer, Anja. Vergewe my, asseblief."

Vir Anja het iets tussen hulle verander. Sy weet een-
voudig nie meer of sy hom kan vertrou nie.

21

Willem het besluit om 'n assistent te kry om die vul-stasie dop te hou. Sy dag begin baie vroeg. Skuins oorkant die vulstasie is hy en sy assistent besig om 'n paar items uit die motor se bak te laai: pakkies tamaties, aartappels, waatlemoene, 'n klompie verestoffers en vyf besems. Willem gee nie om of die goed verkoop word nie; sy assistent moet lyk soos 'n straatverkoper.

"All you need to do is to check out the cars, trucks and people buying in the shop." Willem beduie na die pomp wat eenkant staan. "You see that is the diesel pump. Just make a mark for every lorry taking in diesel. But watch the time also. The other cars you must mark in the next column. Like this." Willem maak 'n merkie vir die motor wat daar is teenoor die tyd. Sy assistent het 'n vel papier met vier kolomme. Links van bo na onder is tye geskryf. 6h00–7h00, 7h00–8h00 vir elke uur van die dag tot sesuur die aand. Die ander drie kolomme is "Diesel", "Petrol" en "Shop".

"Do you understand?"

"Yes, sah." Die man glimlag breed. "How much if some-one wants to buy?" Hy beduie na die handelsware. Willem krap sy kop.

149

"Okei, tomatoes and potatoes, five rand per packet, water melons ten rand, brooms twenty and the dusters fifteen."

Willem kyk weer in die rigting van die vulstasie en sien hoe Coen Swarts 'n lang stok by een van die tenks indruk. Hy groet sy assistent en loop na sy Tazz toe. Sy strategie is klaar uitgewerk toe hy voor een van die pompe stilhou.

Die pompjoggie kom nader gedraf en vra of hy kan help.

"Gcwalisa, madala, gcwalisa. Yebo, unleaded."

Willem klim uit en maak of hy bene en arms rek. Hy wil lyk soos iemand wat reeds ver gery het. Hy stap tussen die pompe deur en loer ongemerk na die bedrae daarop.

"Julle is vroeg bedrywig," begin hy 'n geselsie met Coen.

"Ja, ek hoop hulle bring my voorraad vroeg, anders gaan ons leeg raak."

Willem hou hom dop terwyl hy die olie en bymiddels in die rakke tel.

"Check jy elke dag die stock uit?"

"Dis baie belangrik. As ek dit nie doen nie, steel hulle." Hy beduie na die pompjoggies. "Of hulle gooi dit verniet in vir pelle. Hel, party van die mense is onbetroubaar. En as die brandstof klaar raak, verloor ons besigheid."

"Hoeveel verkoop julle? Ek bedoel, hoe lyk die wins? Het lankal vir my chick gesê ons moet ook 'n garage begin. Dit lyk lekker."

Swarts antwoord sonder om op te kyk. "Man, dis eintlik vertroulike inligting, maar ja, ons doen goed."

"En die shop?"

"Dis moeilik om te sê. Dit hang af hoe besig ons is."

Willem se motor is vol. Hy moet R146,50 betaal en gee 'n tweehonderdrandnoot.

"Lekker gewees om met jou te chat. As my change kom,

moet ek skuif, ek het nog twee punte om by af te laai. Sien jou dalk weer as ek die vendor kom opcheck." Hy beduie na die man aan die anderkant van die straat.

"Tot siens, meneer. Kyk gerus daar binne voor jy ry. Vroegoggend verkoop ons pasteie teen halfprys."

Willem kry sy kleingeld. Vier tienrandnote en 'n klompie munte. Die pompjoggie kry die munte terwyl hy die note in sy beursie sit. Hy gaan koop een van die halfprys-pasteie en betaal met 'n noot uit sy gatsak. Met die aangeeslag trek dit sy aandag. Dis splinternuut. Nog een! Hy het dit nou net by die pompjoggie gekry.

"Wag, ek kyk of ek change het."

Willem tel die regte kleingeld af. "Het jy nog van hierdie?" Hy hou een van die note in die lug.

Die kassier kyk hom vreemd aan.

"I don't understand, sir. All the change is like that. I do not have any other," antwoord die kassier.

"Where did you get this?"

Die kassier skud sy kop. Hy verstaan duidelik nie waarvan Willem praat nie. "The owner, he brings it."

Op daardie oomblik kom Coen die winkel binne. "Elias, wanneer laas het jy gedrop?"

Elias lyk verleë en sê niks.

"Toe-toe. Drop sommer nou."

Willem probeer om Elias dop te hou sonder dat Coen dit agterkom.

"Is dit jou besigheid?"

"Nee, dit behoort aan meneer Stemmet, ek is die bestuurder. As iets verkeerd is, sal ek graag help."

"Nee, ek wil sommer met hom gesels. Uitvind hoeveel chieng het mens nodig om so 'n plek oop te maak. Lyk cool."

"Wag, ek kry gou een van sy kaartjies in die kantoor."

Willem hou Elias dop terwyl hy sy geld aftel, 'n nota

151

daarby skryf en in 'n banksakkie sit. Daarna gooi hy dit deur 'n gleuf. Coen verskyn weer en gee vir Willem 'n kaartjie.

"Thanks, tjom."

Coen kyk hom agterna, glimlag vir Elias en skud sy kop heen en weer. Hy beweeg sy oop hand voor sy gesig verby. Elias lag saam.

In die winkelsentrum se parkeerterrein bekyk Willem die kaartjie.

Neville Stemmet
Specialist Asset Manager
N and M Asset Managers CC
CK93/35918/23
75 Maude Street
Sandton

Daar is ook 'n telefoonnommer.

Waar kry hy díé note? En hoekom klink die naam van die besigheid so bekend? Willem wonder of die ou note meer werd is as nuwes. Hy vat 'n hap van sy pastei. N and M Asset Managers. Hy is seker daar is iets wat hy daaraan kan koppel; dit wil net nie kliek nie. Hy eet vinnig klaar en kyk weer na die note. Hoekom lyk hulle presies soos die note wat hy in Barberton gekry het? Is daar 'n verband tussen Neville Stemmet en Michelle Fouché? Of is dit net toeval?

Willem ry direk na 'n noteversamelaar. Die man slaan na in 'n boek en verseker hom dat daar niks met die note verkeerd is nie.

"Hulle waarde is presies dieselfde as toe dit gedruk is. Dis wel later met 'n kleiner weergawe vervang, maar dis nie uit sirkulasie onttrek nie en kan nog gebruik word. Daar's so baie gedruk dat selfs note met 'n uitsonderlike goeie toestand nie meer as R10 werd is nie."

Die versamelaar verduidelik hoe mens die note se ouderdom kan vasstel deur die reeksnommers wat gebruik is na te gaan. Een deel daarvan bevat die jaartal waarin dit gedruk is. Willem se note is ongeveer tien jaar oud.

Willem wonder hoe moeilik dit gaan wees om uit te vind waar meneer Stemmet toe was en wat hy gedoen het.

Terug tuis haal hy Michelle se lêer uit. Creedence se klanke vul oorverdowend die huis. Hy begin die reeksnommers vergelyk. Ditsem! Die begin is eenders. Daar moet dus 'n verband wees. Hy moet net dink. Sy een hand tik ritmies op die lessenaar se blad. Hy blaai afgetrokke deur Michelle se lêer. Dan val sy ook op die bankstaat. Daar staan dit! Hy kan sy oë nie glo nie. N M Ass. Dit kan mos maklik 'n afkorting vir N and M Asset Managers wees! Hy kyk weer na haar ander rekeningstate.

"Jou blerrie skelm, die een is 'n transitorekening!"

Die vroumens is uitgeslape. Vandat hy vir Butch in sy huis gekry het, is hy oortuig dat Sanet en Michelle een en dieselfde persoon is en dat sy van die geroofde geld het. Nou glo hy dit. Neville Stemmet is 'n batebestuurder en moet waarskynlik vir haar 'n portefeulje bestuur. Dis nie onmoontlik dat sy kontant by hom inbetaal nie. Op dié manier kan niemand haar uitvang as die geroofde geld gebank word nie. Op sy beurt weet Stemmet natuurlik dat die banke groot fooie vra vir kontantinbetalings en raak via sy vulstasie daarvan ontslae en verminder sy bankkoste. Bliksem! Hoekom het hy nie lankal die konneksie gemaak nie?

Tuis maak Willem 'n nuwe lêer oop en skryf 'n klompie aantekeninge oor die vulstasie. Dit lyk reeds of hy 'n patroon in die brandstofverkope kan sien. Tussen ses en agt in die oggend is dit druk besig, daarna plat dit af. Van drie-uur in die middag tel dit weer op en ná sewe in die aand is die voertuie weer minder. Die winkel is laat-middag baie besig wanneer heelwat mense waarskynlik brood, melk, lekkergoed en sigarette koop. In die oggend is koerante baie gewild, terwyl die taxi's die halfprys-pasteie by een van die werkers op die rybaan koop. Sy laaste opmerking is dat hy uit die inligting op die visitekaartjie aflei dat die eienaar nog 'n besigheid het.

Die telefoon lui. "Lotriet Speurdiens."

"Willem, dis John. Ek wil net hoor hoe ver is jy met die ondersoek. Wanneer kry ek 'n verslag?"

John klink kortaf en haastig.

"Ja, ek is juis besig daarmee. Ek bring dit môre."

Nou moet hy mooi dink en kophou. As Michelle regtig die geroofde geld het, en op 'n manier Sanet is of dit by haar gekry het, beteken dit dat John dalk daarvan weet. Hoe onskuldig was hy regtig destyds? Willem skryf John se verslag en noem dat Michelle baie geld in die bank het en dat hy vermoed sy het 'n portefeulje by 'n batebestur-der. Oor die ou note swyg hy vir eers. Dis net 'n kwessie van tyd voor hy die bewyse sal hê.

Met 'n brandewyn en Coke in die hand, sonder om ag-ter te kom dat die CD ophou speel het, oorweeg hy sy moontlikhede. Hy kan met Neville Stemmet gaan gesels of die bestuurder by die garage konfronteer. Dit sal nie werk nie. Hy gaan hulle net op hulle hoede plaas. En die polisie sal wil oorvat. Willem staan op om sy glas vol te maak. Hy skud die laaste paar druppels uit die bottel.

"Dis net 'n kwessie van tyd," mompel Willem onder-langs. "Vasbyt, lekker nou, Lotriet."

22

Teen dagbreek sit Michelle reeds op die bankie langs die see waar sy die laaste tyd sit en dink. Sy is besig om te skryf. Af en toe kyk sy uit oor die see en die skuite wat ver onder op die sand vasgemaak lê.

Voor sy dit opvou en in die koevert sit, lees sy die brief deur.

Hermanus.

Johnny,

Toe ek jou nou die dag gesien het, kon ek nie help om ver terug te dink nie. Ek sal jou graag weer wil sien en met jou gesels, maar ek kan nie. Ten minste nie nou al nie. Miskien oor 'n maand of twee wanneer alles verby sal wees.

Ek glo jy het seker honderde vrae om vir my te vra en moet erken dat ek tot nou toe nog nie kans gesien het om jou weer in die oë te kyk nie. Ek voel nog skuldig omdat ek sommer net verdwyn het, maar glo my, daar was redes voor. Goeie redes. Ek het dit nie sommer net gedoen nie. Dit was vir ons onthalwe. Jy sal seker lag as jy dit lees, maar dis die waarheid.

Die jare sonder jou was nie maklik nie. Ek moet eintlik sê, ek wonder wie het die moeilikste gehad. Jy, in die selle en die alleenheid daarna, of ek met my gedagtes en omstandighede.

Toe ek sien hoe hulle jou uit die motor pluk, het ek geweet ek moet padgee en is tydelik na my suster toe in Londen. Heng, ek was bang. Selfs in Londen het ek ineengekrimp elke keer wat ek 'n Bobby gesien het. Michelle se dood het egter alles verander. Dit het vir my 'n deur oopgemaak om terug te kom. Maar ek wou baie seker wees niemand soek meer na my nie en het nog drie jaar daar gebly.

Tot ek twee jaar gelede 'n besigheid begin het, het ek maar gesukkel, maar deesdae gaan dit baie beter. Neville, jy onthou hom seker as Nev, help my. Ek doen die beplanning en hy bestuur dit.

Net minder as 'n week voor jy gevang is, het ek agtergekom dat alles nie pluis is nie. Ek wou jou vertel, maar wou eers seker wees, daarom het ek dit nie gedoen nie. Ek hoop jy kan my vergewe, maar Louise is gebore terwyl ek in Londen was. Ja, sy dra jou ma se naam. Dis jou kind. Sy is nou nege en 'n half. Mens kan sommer sien sy het Lombard-bloed in haar. Sy trek baie op haar ouma. Sy vra gereeld na haar pa. Jy weet, 'n ma is 'n ma. Ek kan nie 'n pa ook wees nie. Sy het 'n gehoorprobleem, maar nie te sleg nie en dra 'n gehoorapparaat. Gelukkig is sy in 'n skool waar hulle die beste moontlike aandag aan haar kan gee. Die skoolhoof kom my vanaand weer sien oor 'n nuwe gehoorstuk.

Ek mis jou, Johnny. As alles klaar is, sal jy verstaan waarom ek weggeraak het. Ek hoop jy gee my nog 'n kans.

San

Ns. Ek is nog net so bang vir donderweer soos destyds.

Binne die PostNet-kantoor kyk sy rond om te sien watter toonbank seëls verkoop toe haar selfoon lui. Dit is haar boekhouer. Hy het inligting en wil baie dringend met haar gesels.

"Ek sal eers 'n paar reëlings moet tref. Gee my 'n uur, dan bel ek jou terug."

Sy stap na die toonbank. "Waar kry ek 'n reisagent?"

Die dame gee rigtingaanwysings. Met die brief nog in haar hand draai sy om en stap uit.

Die reisagent soek alle vlugte na Johannesburg op, maar almal is vol. Die eerste een waarop daar plek is, is eers laat die volgende middag. Michelle dink 'n rukkie na.

"Daar is nie dalk 'n vroeër vlug vandaar af hierheen nie?"

Die agent kyk op die vlugskedule en antwoord bevestigend.

"Kan ek gou 'n oproep maak?"

"Seker, ek wag."

Michelle skakel die boekhouer se nommer. "Die vlugte na Johannesburg is vol. Kan jy dalk hierheen kom vir die dag? Ek sal jou kaartjie betaal." Sy luister na die antwoord. "Hou net gou aan."

Sy kyk na die dame agter die toonbank. "Ek sal daardie vlug neem en die laatmiddagvlug terug na Johannesburg."

Michelle bring weer die selfoon tot by haar oor. "Goed, alles is gereël. Jou kaartjie sal by die toonbank wees. Ek kry jou tienuur in die Kaap. Jou terugvlug is weer drie-uur. Maak seker dat jy alle dokumentasie saambring dat ons daarna kan kyk. Ek wil ook graag die makelaar se foon en faksnommer hê."

Buite skakel sy die makelaar.

"Meneer, Michelle Fouché, eienaar van N and M Asset Managers wat praat. Ek weet jy werk altyd direk met meneer Stemmet, maar ek het 'n baie dringende versoek. Staak asseblief onmiddellik alle oorbetalings aan ons."

Sy luister na die man se vrae, verduidelik en gaan voort. "Ja, dit geld vir beide rekenings. As dit nodig is, stuur ek dadelik 'n faks om dit te bevestig."

Die makelaar wil met Neville praat, maar Michelle keer: "Moet dit asseblief onder geen omstandighede doen nie. Ek vermoed ongerymdhede en sal my boekhouer vra om met jou in verbinding te tree. As meneer Stemmet iets vra, dink asseblief 'n verskoning uit, maar moenie dat hy iets agterkom nie. Hou net alle geld in trust. Ek sal my bes doen om binne die volgende week persoonlik by jou uit te kom."

Op die vraag of hy ander transaksies ook moet stop, antwoord sy dat dit nie nodig is nie. Hy kan Neville se opdragte om te koop en verkoop steeds uitvoer. Anders kom Neville dalk iets agter.

Nog 'n keer stap sy na die PostNet-kantoor. Hulle stuur haar faks aan die makelaar. Die brief aan John bly ongepos.

Willem dink aan Michelle terwyl hy draf. Hy het 'n goeie teorie hoe sy Michelle Fouché geword het, maar sy bewyse ontbreek. As hy net iets in die hande kan kry waarop haar vingerafdrukke voorkom. Die gedagte om by haar huis of kantoor daarvoor te soek, het hy reeds laat vaar. Dit gaan moeilik wees om ongesiens in enige van die twee plekke te kom. Sy beste kans om haar vas te trap, is in Nelspruit as sy weer kontant vir die swart man oorhandig. Dit sal beteken hy moet hom permanent dophou. Dit gaan moeilik wees. Hy wil ook weet hoe Neville Stemmet in besit van banknote gekom het met soortgelyke reeksnommers as dié van Michelle. Hoe vreemd ook al, hy kan nie die moontlikheid uitsluit dat die twee saamwerk nie.

Willem kyk op sy horlosie: sy tyd verbeter nie meer nie. Hy beter nog harder oefen. Hy versnel sy pas. Vasbyt, lekker nou, vasbyt, lekker nou. En skielik, in die hardloop, is dit daar. Hoe kon hy dit mis? Die N M Ass op Michelle se bankstaat. N vir Neville en M vir Michelle! Vandag nog ry hy Pretoria toe vir 'n afskrif van die BK se oprigtingsakte. Hy sal moet hulp kry. Die ding raak nou groot.

Nadat Willem sy assistent by die vulstasie in Kempton Park afgelaai het, ry hy na John toe om die verslag af te gee.

"Meneer Lombard is besig met 'n onderhoud. Hy het gevra jy moet wag. Hy wil persoonlik met jou praat."

Willem wens hy kan die faktuur en verslag by die ontvangsdame te los. Hy het baie dinge om te doen.

"Gaan hy lank wees? Ek is haastig."

"Hy het pas met 'n onderhoud begin. Miskien nog so vyftien of twintig minute, maar moet asseblief nie loop nie. Hy het gesê ek moet seker maak jy wag. Ek bring solank 'n koppie tee."

"Dankie, maar sê asseblief solank vir hom ek is hier."

Hy gaan sit weer. Dit voel vir hom soos ure voor John uiteindelik uit sy kantoor kom en hom innooi.

"Dag, Willem. Gaan dit goed? Hoe vorder jy?" vra John in een asem.

"John, nie goed vandag nie. Ek stoei so bietjie om by alles uit te kom, maar verder mag ek nie kla nie." Hy maak sy tas oop en haal John se verslag en faktuur uit. "Ek dink ek het goeie nuus."

"Willem," sê John nadat hy alles deurgekyk het. "Is dit die totale bedrag verskuldig tot nou toe?"

"Exactly. Ek dink daar is nog so 'n paar dinge waarna ek kan kyk as . . ."

John val hom in die rede. "Om eerlik te wees, ek het be-

159

sluit om die ondersoek te staak en wil jou sommer finaal betaal vandag."

Dít het hy nie verwag nie.

"Maar John, jy kan nie nou stop nie; ek kan dinge nou enige dag finaal inmekaarskakel. Die groot werk is nou gedoen! Dit is net 'n kwessie van tyd voordat ek weet of sy betrokke was."

"Jammer, Willem, maar hierdie verslag is goed genoeg. Ek weet nou waar Sanet is. Ek sal haar self kontak wanneer dit meer geleë is."

Willem probeer nog 'n keer om die ondersoek te laat voortgaan, maar John hou voet by stuk. Hy skryf 'n tjek uit en gee dit vir die sprakelose Willem.

"As ek dalk nog iets van belang raakloop, sal jy daarin belangstel?"

"Ek twyfel, maar laat weet my gerus, dan heroorweeg ek dit."

Terug in sy Tazz sak Willem met sy arms op die stuurwiel neer. Dis 'n gatslag. Hoekom John nie die uitklophou geplant wil hê nie, kan hy nie verstaan nie. Sonder die hoop op verdere inkomste kan hy ook nie te veel tyd hieraan spandeer nie. Willem sit lank en dink. Come hell or high water, hy gaan voort hiermee. Hy is seker hierdie saak is die grote waarvoor hy al wie weet hoe lank wag. Sy bynaam in die polisie was nie verniet Willem Vasbyt nie. Hy haal sy selfoon uit en bel vir Ephraim.

"Ephraim, betaal julle nog kommissie as mens help om 'n saak op te los?"

"Ja, luitenant. Tien persent."

"Het jy leave beskikbaar? Ek het 'n moerse lead en soek hulp."

"Luitenant weet mos. Ek sal altyd help."

"Right. Kry solank die lêer oor John Lombard. Uhm

160

wag, laat ek net gou die nommer check . . . MR 95/7496. Ek sien jou oor 'n uur."

In Pretoria gesels Willem lank en indringed met Ephraim. Hulle planne is gereed toe hy daarvandaan wegry. Hy is oortuig dat die BK se akte die finale bewyse sal oplewer. Hy kry parkeerplek reg voor die gebou van die registrateur van maatskappye.

"Lucky me."

Hy sluit sy motor en drafstap nader. Net toe hy binne is, maak hulle die deure agter hom toe. Hy bekyk die aanwysings en stap na die inligtingstoonbank.

"I would like some info on a closed corporation."

"What type of information do you need, sir?"

"I want the names and addresses of the members or a copy of the initial declaration, please."

Dit neem Willem lank om die vorm in te vul. Hy stap terug na die toonbank.

"You need to pay hundred rand at the cashier first, sir," sê die klerk toe hy die vorm aangee.

Kan hulle dit nie in die eerste plek gesê het nie? Oor na die ander toonbank waar hy betaal en sy kwitansie kry. Die kassier skryf sy kwitansienommer op die aansoekvorm en stempel dit.

"You can now go back to information, sir."

Willem sug en stap terug. Kan een mens jou nie met alles help nie? Hy gee die vorm en kwitansie vir die klerk.

"Sir, we are closed now. We will mail you a copy of the CK1."

"Can't I wait for it? I was here before you closed."

"Sorry, sir, if you were earlier I could have helped you, but now we are closed."

Willem skud sy kop in ongeloof toe die klerk die aansoekvorm op 'n hopie neersit. Hoeveel dae s'n lê reeds

161

daar en van watter kant af gaan hulle die aansoeke begin bewerk?

"Can I come and fetch it tomorrow?" probeer hy weer.

"No, sir, we have to mail it."

"And if I come tomorrow morning early?"

"You will have to pay again, sir."

Hy stap deur toe. Die staatsdiens sal seker nooit verander nie. Hy draai om. Dit werk nie so nie, ou girl. Julle ken nie vir Willem Lotriet nie.

"Can I see the manager, please?"

Die bestuurder verduidelik dat hulle daagliks 'n afsnypunt het vir die opsoek van inligting. Haar afdeling hanteer net die aansoeke terwyl 'n ander afdeling die afskrifte maak.

"Can I get my application form back? Then I will be here tomorrow morning early."

Die bestuurder tel Willem se aansoekvorm op en kyk daarna.

"Sir, I see this is for a copy of a CK1. We never give this the same day. We only send it out by mail."

Hy kan dit nie glo nie. "Are you sure?"

"Yes, sir."

Moedeloos loop hy uit. Red nou 'n volk!

23

"**K**om, jou stadige ding!" Willem staan langs sy lessenaar en wag dat sy verslag vir die assessor klaar druk. Hy lees dit deur voor hy dit onderteken. Dit wys die aantal voertuie wat brandstof inneem voor middagete afsonderlik van dié wat daarna getel is. Dit toon ook die gemiddelde bedrag per voertuig, en die voorraad binne die winkel is opgesom in hoofitems saam met sy geskatte waarde daarvan. As deel van die berekeninge wys hy uit dat hulle nie elke dag dieselfde hoeveelheid klante gehad het nie. Die feit dat kontant minstens een keer per dag gebank word, laat hom skat dat daar 'n maksimum van R22 600 teen sesuur die oggend voorhande kon wees. Op 'n swakker dag glo hy dit kan R18 500 wees, terwyl die gemiddelde op om en by R20 000 te staan moet kom. Dit is waarskynlik te groot vir die bedrag wat geroof is, omdat die kassiere gereeld hul geldlaaie leegmaak en die geld in 'n valkluis plaas.

Willem skat die geroofde bedrag is enigiets tussen R2 000 en R3 000. Daar is 'n aparte geldlaai vir die kleingeld en dit word een keer per dag aangevul. Indien hy sy eie aankope as 'n standaard gebruik, bereken hy dat daar daagliks ongeveer tien tot vyftien persent van die totale aankope as kleingeld benodig word. En dit word minder soos wat kleingeld deur die dag uitgedeel word. Sy raming is dat daar tussen R500 en R600 se kleingeld kon wees. Hy skat dat daar 'n minimum van R2 500 rand en 'n maksimum van R3 600 voorhande kan wees. Sy faktuur vir R8 140 baseer hy op die verskil in waarde tussen die eis en sy beraming van die werklike kontant.

In die assessor se kantoor kan Willem sien hy is tevrede.

"Goeie werk, Willem, jy spaar ons baie geld. Sodra ek weer iets het om te ondersoek, kontak ek jou."

"Ek dink daar is nog iets wat jy moet weet."

"Vertel, ek luister."

"Hierdie kliënt van jou. Ek glo hy het warm geld. Al die kleingeld is in die vorm van splinternuwe note, maar dis tien jaar oud. Kyk hier." Hy haal een van die tienrandnote uit. "Dis groter as dié wat ons nou kry. 'n Versamelaar sê hierdie een is in 1995 gedruk. Kyk net hoe nuut is dit nog. Hulle deel dit daar uit vir kleingeld. Die kassier sê al die kleingeld lyk so. Dalk eis die ou nog vir geld wat nie eers sy eie is nie."

"Willem, dit gaan moeilik wees om te bewys die geld behoort nie aan hom nie. As dit regtig warm geld is, is dit eerder 'n saak vir die polisie."

Willem trek sy oë op skrefies. "Jy meen julle gaan dit nie laat ondersoek nie? Die ou kan mos weer eis!"

"Nie maklik nie. As ek met hom en sy eis klaar is, gaan hy 'n ander versekeraar soek."

Willem vra of die assessor vir hom nog opdragte het en vra sy betaling.

"Ek wag sommer vir die tjek. Jy weet, die pos is deesdae so stadig."

"Willem, jy ken ons beleid."

"Man, dis nie dat ek dit dringend nodig het nie, maar

ek gaan 'n tyd lank Laeveld toe. Kyk asseblief wat jy kan doen. Ek sal wag."

Twintig minute later vertrek Willem met die tjek in sy aktetas.

Hulle kom laatmiddag in Barberton aan. Willem ry voor die kantoor van Barberton Micro Loans verby en wys dit vir Ephraim. Op die hoek klim Ephraim uit. Behalwe selfoongesprekke, sal dit hulle laaste kontak vir die komende week wees. Willem ry nog 'n blok verder, maak 'n U-draai en parkeer aan die oorkant van die straat. Sonder om te probeer agterkom waar Ephraim is, stap hy reguit tot by Barberton Micro Loans. Hy weet Ephraim sal sy opdragte nougeset uitvoer.

"You are more than a week early, mister Lotriet."

"Yes, I know. But before I spend it again, let's settle."

Dumesani tel die geld en skryf 'n kwitansie uit. "There you are, sir. Will I see you again?"

"Definitely. I like the quick way you do business. By the way, I remember promising you a dop."

"Heisch! Let's go."

Anja twyfel steeds oor haar woordkeuse toe sy in haar ouers se woonkamer op die punt van die stoel langs haar ma gaan sit. Die fronse op haar ma se voorkop spreek boekdele toe Anja die TV se afstandbeheer optel en dit afskakel.

"Mamma, jy sê mos altyd dat ek met enigiets na jou toe kan kom, nè?"

"Natuurlik, Anja, enige tyd. Jy weet mos dat dit nooit anders sal wees nie. Wat is dit?"

"Ek het 'n probleem."

Haar ma kyk vinnig op van haar hekelwerk. "Jy . . . Jy is nie dalk swanger nie?"

"Neeeeeee, Maaaaaa." Anja dink eers na voor sy weer praat. "Dis veel erger."

"Nou wat dan? Is dit 'n man?"

Anja bly 'n rukkie stil en glimlag met 'n ondeunde uitdrukking op haar gesig."Ja, dis 'n man. Miskien moet ons vir Paps ook roep."

"Is julle dan al so ernstig? Dis die eerste woord wat ek van 'n man hoor!"

"Nee, Mamma, dit is nog nie so ernstig nie. Dis net, ek . . . daar is iets wat ek wil hê julle moet weet voordat dit begin ernstig raak. Kry solank iets om te drink, dan roep ek vir Paps."

Teekoppie in die hand, kan Anja aan haar pa se houding agterkom hy is nuuskierig. Hy rol sy lippe en vryf aan sy baard. Sy verwag dat hy elke oomblik met vraende oë gaan pyp opsteek, en sy begin vertel van John. Waar en hoe hulle ontmoet het. Wat hy doen, dat hy suksesvol is en na 'n goeie man lyk. Sy vertel ook hoe Rentia haar aanpor om meer betrokke te raak.

"Beteken dit ek moet begin gereed maak om 'n onthaal te gee?" vra haar pa laggend.

"Ai, Paps, julle hardloop die ding nou vooruit."

"Maar jy oorweeg dit?"

Anja neem nog 'n sluk koffie. "Dit lyk of daar iets gaan kom, maar dis nie alles nie."

"John is 'n paar jaar terug in hegtenis geneem." Haar ouers is albei stil. Anja vertel verder. "Hy is verdink daarvan dat hy betrokke was by 'n bankroof. Eintlik verskeie rowe. Onthou julle, dit was in die nuus jare terug? Wel, hy het die motor bestuur – onwetend, volgens hom." Nie een keer word sy in die rede geval terwyl sy praat nie. Haar ouers laat haar toe om op haar tyd te sê wat op haar hart is, maar kyk tog af en toe betekenisvol vir mekaar. Bekommerde uitdrukkings is op albei se gesigte. Anja

166

sluit af deur te sê dat sy glo John was onskuldig en dat sy arrestasie 'n fout was.

"Jy dink dis die man vir jou?" vra haar pa.

Sy knik haar kop.

"Is dit nie 'n bietjie gou nie?"

"Paps, ek hou baie van hom en hy van my. Eintlik soek ek raad. Dit is nie dat hy verdink is wat my pla nie, maar dat hy dit nie vir my vertel het nie. Ek het toevallig daarop afgekom. En boonop het hy 'n speurder gehuur om die meisie wat die polisie destyd gesoek het, die een met wie hy in 'n verhouding was, te soek."

Anja sug. "My hart sê een ding en partymaal sê my verstand iets anders."

Haar pa en ma kyk weer vlugtig vir mekaar. Haar ma se kop knik.

"My kind," sê haar pa, "ons wil so graag hê jy moet gelukkig wees. Ons wil net die beste vir jou hê. Nie ek of jou ma kan vir jou voorskryf nie, maar ek sal my plig versuim . . ."

"Net nie 'n preek nie, 'seblief, Paps," val Anja hom in die rede.

"Nee, ek sal nie preek nie, maar daar is dinge wat ek dink gesê moet word. Hierdie man . . ."

"John, Paps. Sy naam is John."

"Goed, hierdie John, hoe seker is jy hy was onskuldig? Hoor die waarheid liewers nou as later. Verder, in 'n huwelik is daar gewoonlik kinders. Hoe dink jy gaan julle dit eendag hanteer as hulle uitvind?"

"Ek weet nie, Paps." Anja lyk verward.

"En die ander meisie, vrou – wat as sy weer in sy lewe verskyn? Ek is so bang jy kry seer."

"Dan sal hy moet kies. Dis ek of sy," sê Anja vasberade.

"My kind, ek vertrou jou. Die feit dat jy kom gesels

het, wys vir my jy dink. Miskien is dit die beste wat jy kan doen. Dink gereeld daaroor. Dink aan die positiewe dinge, maar moenie die negatiewe dinge vergeet nie. Ek weet op die ou end sal jy die regte besluit neem. Dis iets wat ek en Mamma nie vir jou kan doen nie. Wat jy ook al besluit, ons staan by jou." Hy kyk weer vir Anja se ma en daarna vir Anja. "En as jy weer kom, bring hom saam."

Anja staan op, slaan haar arms om sy nek en soen hom. "Dankie, Paps, baie dankie. Ek sal so maak."

"Moenie te lank wag nie. Ek is baie nuuskierig om te sien hoe lyk 'n man wat my dogter se kop laat draai."

Sy slaan haar pa speels op die arm.

24

Michelle en haar boekhouer kyk na die state in die sitkamer van Kaapstad se lughawe. Hy wys die verskille uit.

"Mevrou, kyk mooi. Hierdie een kom van die makelaar af, die ander een nie. Die enigste verskil is die lettertipe. As hulle nie langs mekaar lê nie, sal niemand dit kan raaksien nie."

"Hoe dink jy doen hy dit?" vra Michelle geskok.

"Maklik. Hy kon sy drukwerk laat aanpas het. Dis nie moeilik om die uitleg op verskillende rekenaarpakkette te laat verander nie. Hy het die makelaar opdrag gegee om die state kantoor toe te laat stuur. Die vervalsings moes daar plaasgevind het. Dis slim gedoen. Hy het nie aan die hoeveelheid aandele wat verhandel is, getorring nie. Die verskille is uitgewis deur die makelaarskoste te verhoog. Op dié manier balanseer sy state weer na die makelaar se bedrag toe."

"Hoeveel dink jy het hy so gevat?"

"Ek kon nog nie alles kontroleer nie, maar dit lyk na amper R300 000. Die jongste state van die makelaar af is nog nie beskikbaar nie. Mens kan maar net raai. Jy sal beslis moet optree. Dis bedrog."

Neville se bedrog bekommer Michelle. Sy besef die boekhouer het reg, maar sy weet ook dat sy nie die polisie durf inroep nie.

"Hoe lyk die kliënte se portefeuljes? Is daar genoeg aandele sodat hulle nie gaan skade ly nie?"

"Ja, maar daarna gaan daar 'n groot duik in die BK se balansstaat wees."

Vies doen sy 'n paar berekenings. Sy skat die totale waarde van die BK se aandele saam met die kontant in die loket en die bedrag wat Neville moontlik in sy eie sak gesteek het op R4 600 000. Haar gedeelte sal net meer as R2 500 000 wees. Sy dink 'n paar oomblikke.

"Ek wil hê jy moet vir my 'n koopooreenkoms opstel. Meneer Stemmet is die koper." Toe sy die vraende blik op die boekhouer se gesig sien, verduidelik sy verder. "Hy weet dit nog nie, maar hy gaan my uitkoop. Ek wil genoteerde aandele ter waarde van R2 530 000 hê. Meneer Stemmet kry die res, insluitende beheer oor die BK en kontant ter waarde van R1 400 000. Jy moet ook my naam as lid van die BK laat verwyder. Dit laat meneer Stemmet as alleeneienaar. Jy hoef nie bang te wees dat jy jou fooie sal verloor nie, ek sal persoonlik daarvoor instaan."

Die boekhouer leun vooroor. "Jy bedoel jy gaan hom met die bedrog laat wegkom? Hy behoort aangekla te word."

"Nee, ek gaan hom nie aankla nie. Ons ken mekaar reeds baie jare, daarom sal ek hom los. Hy kan self sy gemors uitsorteer."

"En die kliënte? Wat word van hulle?"

"Ek sal reël dat die makelaar die portefeuljes oorneem. Hy sal te bly wees vir die bykomende inkomste."

"Wanneer moet dit alles gebeur?" vra die boekhouer sonder om op te kyk van die papier waarop hy notas maak.

"Ek sal Maandag opvlieg. Reël vir 'n afspraak met die

makelaar by sy kantoor. Ek sal sorg dat meneer Stemmet daar is."

Hulle bespreek nog 'n paar tegniese aspekte voor sy die boekhouer groet.

Hierdie keer het Neville sy hand oorspeel, dink Michelle terwyl sy kyk hoe die boekhouer wegstap. Sy het genoeg geld, maar nou het sy ook 'n goeie rede om van Neville ontslae te raak.

Terug in haar kamer by die gastehuis bespreek Michelle vlugkaartjies: Maandagoggend sewe-uur, Kaapstad na Johannesburg. Dinsdagmiddag laat, Johannesburg na Nelspruit. Woensdagoggend Nelspruit na Kaapstad via Johannesburg. Sy vra ook vir gehuurde motors in Johannesburg en Nelspruit.

Die reisagent bevestig haar besprekings en sê sy kan die kaartjies by die SAL-toonbank op die lughawe afhaal. Nadat sy afgelui het, plaas sy die selfoon in haar skoot en dink voor sy Renier se nommer skakel.

"Ek wil net dankie sê vir gisteraand se ete. Jy weet nie wat dit vir my beteken het nie. Dis ook wonderlik om te weet daar is nog iemand wat omgee vir Louise."

"Michelle, ek moet vir jou dankie sê. Veral vir die donasie aan die skool. Louise is 'n oulike kind."

Hulle gesels nog 'n rukkie, voor sy afsluit.

"Renier, ek weet dit is 'n toe naweek, maar kan ek vir Louise kom haal? Ek verlang vreeslik na haar. En ek sal nie omgee om gou weer 'n koffie saam met jou te drink nie."

"Natuurlik! En jy is meer as welkom om in te loer vir koffie."

"Hmm . . . Ek dink nou daaraan. Ek sou 'n besigheids-ete gehad het vanaand, maar dit is op die laaste gekanselleer. Ek het reeds 'n bespreking. Jy was nie dalk lus om by my aan te sluit nie?"

Michelle glimlag tevrede. Haar strategie met Renier werk.

In 'n somersrok wat baie been wys, stap sy later opgewek na die ontvangs.

"Bespreek asseblief vir my 'n tafel vir twee by die taverne. Halfagt sal goed wees. Dankie."

Buite druk sy aan die knoppies op haar selfoon. Haar kort teksboodskap aan Giepie lui: Ek bring Dinsdag die geld. Bel jou as ek daar is.

"Meneer, ons kleingeld raak nou vinnig minder," hoor Neville Coen Swarts oor die telefoon sê. "Daar is nog amper genoeg vir een week. Wat moet ek maak as dit klaar is?"

"Dis goed jy bel vroegtydig. Ek sal nog bring. Is dit al?"

"Nee, meneer, as dit moontlik is, kan ek weer 'n voorskot kry? Dit sal die laaste keer wees. Ek moet nog een agterstallige rekening betaal."

"Hoeveel?" vra Neville bars.

"R15 000, Meneer."

"Ja, oukei."

Neville staan op, haal sy selfoon uit die kluis en stuur 'n teksboodskap weg: *Soek dringend nog kontant.*

Hy kyk weer na die aandeelpryse en glimlag van genoegdoening. 'n Week gelede het hy kort gegaan op AST. Soos wat die analis se voorspelling was, het die betrokke aandeel se prys skerp gedaal. Hy skakel die makelaar en plaas 'n bestelling om die aandele terug te koop. Sy verkooptransaksie het R150 000 opgelewer. Teen die huidige prys hoef hy net R135 000 te betaal om die aandele terug te kry. Dit beteken 'n wins van R135 000.

Sy selfoon biep.

Sien jou Maandag.

Waar en hoe laat? volg hy dit op.

Moet nog reël.

Hy plaas die selfoon weer in die kluis en wonder waarom Michelle so geheimsinnig is. Net toe hy wil loop, lui die telefoon. Dit is die makelaar.

"Meneer Stemmet, ek kan nie jou bestelling uitvoer nie. Die krediet op jou rekening is nie genoeg nie. Jy sal eers moet inbetaal."

"Hoeveel?" vra hy bars. "En wat se nonsens is dit vandag, ek het mos altyd sewe dae."

"Jammer, die nuwe aanlynstelsel het ons genoodsaak om na 'n kontantbasis oor te skakel en by dit alles het ek die ouditeure hier. Jy sal eers R100 000 moet inbetaal."

"Ek bel jou terug."

Neville skakel in op die bankprofiel van die nommer 2-rekening. Hy sleutel die persoonlike identifikasiekode en wagwoord in. Dit werk nie.

"Dêmmit, wat's nou fout, ek kon dit tog nie verkeerd ingesit het nie?"

Hy probeer weer. Die stelsel gee weer die boodskap dat sy wagwoord verkeerd is. Ná die derde probeerslag skakel hy die makelaar.

"Die bank is reeds toe en hulle stelsel is af. Ek sal eers môre kan inbetaal. Doen maar solank die transaksie. Jy weet mos ek sal inbetaal."

"Jammer, Neville, ek sal nie vandag kan help nie. Ek hou die bestelling oor vir Maandag. AST se prys behoort nie sommer te styg nie. Dalk kry jy dit nog goedkoper op die koop toe."

"Goed, dan praat ons Maandag."

Verdomp! Amerika se Techs beter net nie in die nag hardloop nie.

Die geur van aartappelskyfies laat Michelle se maag draai toe sy terugkeer van die kleedkamer af.

"Mamma, meneer sê jy lyk sexy," sê Louise kliphard. Haar stemmetjie klink vir Michelle nog harder as gewoonlik.

Renier verstik byna aan sy drankie. "Louise!" Sy stemtoon en gesigsuitdrukkings is verontwaardig.

"Is, toe jy in die toilet was." Louise kyk na haar ma.

Benoud knip Renier haar kort met nog 'n "Louise!"

Michelle kyk na haar toe sy onderlangs na hom loer en ondeund glimlag. Sy kan nie mooi besluit hoe sy haarself moet voordoen nie. Bly, geskok of gevlei. Sy kyk eers verbaas na Louise en verskuif daarna haar blik na Renier.

"Hoekom kyk julle so vir mekaar?" vra Louise.

"Toe, eet jou kos. Meneer weet nie wat hy praat nie."

Hy maak keel skoon. "Michelle, ek . . ." Hy lyk verleë toe sy vir hom lag. "Jy is 'n beeldskone vrou."

Sy glimlag vir Renier en draai na Louise toe. "Hou jy van meneer?" vra sy vir Louise en vat Renier se hand onder die tafel.

"Net as hy nie kwaai is nie."

Renier is duidelik verlig omdat die onderwerp verander het en gee haar hand 'n drukkie. "Jy jok mos nou! Ek is nie kwaai nie."

"Is. Meneer raas altyd met ons!"

Net as julle stout is, Louise."

Die gesprek bly vir die res van die aand gemoedelik. Teen die tyd dat Louise met roomys sit en hulle koffie drink, lê Michelle se hand in Renier s'n op die tafel.

By die gastehuis dra Renier vir Louise, wat in die motor aan die slaap geraak het, in en gaan lê haar op die bed neer.

"Sy aanbid jou," sê Michelle vir hom toe hy terugkom. Sy's tevrede oor die rigting wat die gesprek inslaan.

174

Hierdie geleentheid wat hom nou voordoen, moet sy aangryp. Sy sal finaal kan wegkom van haar verlede. Daarby hou sy van Renier. Dit maak dit maklik.

"Michelle, ek hou van jou, maar ek weet nie of jy met my verlede sal kan saamleef nie."

Sy druk sy hand. "Elkeen van ons het 'n verlede. Vertel my."

Renier kyk ongemaklik weg en staan op. Michelle volg hom na buite. Hy kyk op na die sterre en sit sy haar arm om haar skouers.

"Drie jaar gelede." Hy bly stil en sluk. "Ek het my vrou en kind tegelyk verloor in 'n motorongeluk."

Michelle sien hy sukkel om te praat. "Toemaar. Jy hoef nie te praat nie."

"Ek het die kar gerol." Renier haal sy sakdoek uit, snuit sy neus en bly 'n paar oomblikke stil. "Ek sal nie sê ek was dronk nie, maar . . ." Hy kyk weg, snuif weer.

"Toemaar, jy hoef nie meer te sê nie."

"En jy?" vra Renier toe hy haar ná 'n rukkie weer in die oë kyk. "Vertel my van jou."

Michelle weet die werklike verhaal sal alles bederf.

"Dis 'n lang storie."

"Ek het die hele aand tyd om na jou te luister." Hy vryf 'n paar hare uit haar gesig.

Michelle begin praat. "As weeshuiskinders het ek en my suster dit nie breed gehad nie. Nadat ek 'n paar jaar gewerk het, het ek steeds gesukkel. Toe ontmoet ek 'n man en besluit ek wil hom hê. Op drie en twintig het hy my soos 'n warm patat gelos toe hy hoor ek is swanger." Sy knip haar oë tot daar trane in wys. "Om 'n lang storie kort te maak, ek is Londen toe waar my tweelingsuster en haar man gewoon het. Ek kon goedkoop by hulle bly en het lekker gespaar. Toe ek dit kon bekostig, het ek teruggekom."

"En haar pa, hoor jy nog van hom?"

175

"Nee. Ons het nog nie weer kontak gehad nie en as ek hom ooit weer sien, sal dit te gou wees."

"Wat gaan jy maak as hy uitvind waar jy is en jou kontak?"

Michelle dink vinnig en besluit om 'n stukkie waarheid te vertel. Touch wood, dink sy, dit gaan 'n dobbelspel wees.

"Hy sal my nooit kry nie. Hy ken my as Sanet en nie as Michelle nie." Sy sien Renier grootoog maak en praat verder. "Ek was relatief kort in Londen, toe Charlie en my suster Michelle in 'n tref-en-trap-ongeluk dood is."

Sonder om te veel detail te gee, vertel sy hom van die besigheid wat sy met Charlie se versekeringsgeld begin het en sluit af deur te sê dat sy haar aandeel in die besigheid aan Neville gaan verkoop.

"Ons teken Dinsdag."

"Het jy al besluit wat jy daarna gaan doen?"

"Nog nie, ek dink nog, maar ek oorweeg dit baie sterk om te trek sodat Louise uit die huis kan skoolgaan."

Terwyl hulle in stilte hand om die lyf staan, laat Michelle haar kop op sy skouer sak. Hy trek haar tot voor hom sodat hulle gesigte na aan mekaar is. "Michelle, ek hou van jou en Louise. Sy lê na aan my hart."

"Dankie," fluister sy. "Dis lekker om te weet jy stel ook in my kind belang." "Ek hou nog meer van jou," sê Renier. Sy lippe vind hare en wanneer Michelle haarself stywer teen hom vaswikkel, kan sy voel die soen raak intens.

Sonder om tyd in te ruim vir sy daaglikse drafsessie, werk Willem die hele Saterdag strykdeur. Laatmiddag lees hy weer die verslae oor John se arrestasie en ondervraging. Party is getik terwyl ander met die hand geskryf is. Lombard, Lombard en nogmaals Lombard. Hy is so verdiep dat hy nie eers 'n brandewyn langs hom het nie. En ook nie musiek wat speel nie. Hy maak notas. Datums, name en die plekke waar geroof was. Hy slaan niks oor nie. Die pakkie verslae raak dunner soos hy deur dit werk. Hy lees weer die speurder se handgeskrewe verslag oor die roof waar John gevang is.

'n Jong man is binne die bank deur die sekuriteitswag doodgeskiet. Die kassier se verklaring sê dat die jong man geld geëis het op die oomblik toe daar 'n rumoer onder die mense in die ry was. Haar aandag was op die rower en sy kon nie presies agterkom wat aan die gang was nie. Omdat daar baie mense in die bank was, het sy aanvanklik nie probeer om truuks uit te haal nie. Hulle standaardprosedures is baie duidelik. Gee wat 'n rower vra en beskerm sodoende jouself, die kliënte en mede-personeel. Toe die rower naby die deur was, het sy gesien hy het nie meer die vuurwapen in sy hand nie en alarm gemaak.

Die sekuriteitswag het gesê dat hy die beroering onder die kliënte gesien het. 'n Meisie het 'n man geklap. Hy het dadelik die kassiershokkies bekyk en die man met die vuurwapen gesien. Omdat daar te veel mense naby was, kon hy niks doen nie en het hy sy kans afgewag. Toe die man amper by die deur was, kon hy sien hy het 'n skoon teiken. Hy onthou die kassier het gegil, maar kon nie sê of dit voor of ná die skoot was nie.

Wat de hel staan hier? Hemel, maar die skrif is lelik. Hy trek sy oë op skrefies en laat sy kop sak om beter te sien. Josias Gerhardus Siemmet. Hy kyk weer daarna, staan op en kry 'n vergrootglas. Sy neus trek vol plooie terwyl hy stip kyk. Dit lyk nog steeds soos Siemmet. Het die onder-soekbeampte verkeerd gespel of is dit net die handskrif wat so lelik is? Hy kyk weer. Verbeel hy hom of is daar 'n ligte merkie bokant die i? Kan dit 'n t wees?

Met die telefoon in sy hand, glo Willem hy weet wat die antwoord op sy vraag gaan wees.

"Lombard," antwoord John.

"John, Willem hier. Ek is besig om jou lêer te finaliseer voor ek dit toemaak. Sê my, Sias, die man wat in die bank doodgeskiet is, was sy van Siemmet?" Toe John stilbly, wonder hy of hy nadink.

"Nee, Willem, dit was Stemmet."

Sy vuis bal in die lug. Hy het dit! Dis met moeite dat hy die opgewondenheid uit sy stemtoon hou.

"Thanks. Dis die laaste wat ek nodig het. Sodra ek klaar is, bring ek vir jou 'n verslag wat mooi opgedollie is. Baie meer detail as wat ek voorheen vir jou gegee het."

Hy staan op vir 'n brandewyn. Dit kan nie toeval wees nie. Die rower se van was Stemmet en Neville Stemmet deel nuwe banknote uit, wat uit dieselfde jaar as die rowe dateer. Hoe kon hy dit miskyk? Hy begin skink.

Voor sy eerste besoek aan John het hy die lêer deurgewerk en geglo dis Siemmet wat daar staan. Dis jammer dis Saterdag. Binnelandse Sake is toe. Daarby moet hy Dinsdag op Nelspruit wees wanneer Michelle haar bestuurder gaan kontak. Hy sal graag wil weet of Josias Gerhardus Stemmet familie is van Neville. Vir al wat hy weet was Neville Stemmet die brein agter alles en is dit moontlik dat Michelle Fouché sy vuilwerk moet doen. Hy kantel die Coke-bottel en maak sy glas verder daarmee vol voor hy terugstap studeerkamer toe om 'n e-pos weg te stuur. Klaar daarmee, staan hy op en sit die lys van banke waar rowe plaasgevind het in sy tas. Hy kyk op sy horlosie. Ephraim moet oor twintig minute bel. Genoeg tyd om te stort.

Sy krapblok lê reg toe die telefoon lui.

"Yes, Ephraim. Hoe lyk dinge daar?"

"Middag, luitenant. Baie goed. Het luitenant 'n pen? Ek het die reeksnommers."

Hy eien die reeksnommer voor Ephraim die eerste een klaar gegee het. Toevallige ooreenstemming bestaan nie meer vir hom nie.

25

John is nog deur die slaap toe hy die interkom antwoord: "Wie de drommel jaag mens dié tyd van 'n Sondag op? Wie's daar?"

"Polisie. Ons wil jou 'n paag vgae vga," hoor John 'n stem met 'n tipiese Swartland-aksent. Haal die grendel af en maak die deur oop.

Die geweld van die vuishou is so groot dat hy 'n paar treë agteruit steier. Sy voet haak aan 'n stoelpoot vas. Toe hy verdwaas van die grond af opkyk, is daar drie mans in die vertrek. Hy voel die nattigheid aan sy neus toe een van die mans hom oppluk.

"Tgonkvoël!" John kry nog een. Dié keer op die oog. "Rgaak jy weeg met jou fokken vuil pote aan haarg, dan kak jy!"

Nog een. John begin tot verhaal kom en sit hom teë. Toe die ander twee ook bykom, besef John sy stryd teen drie is ongelyk. Twee hou hom vas sodat hy geslaan kan word. Toe die slaner weer nader kom, lig John sy knie en tref hom tussen die bene. Die man steier agteruit.

"Vagk, nou gaan jy vgek!"

Hy trek 'n knuppel uit sy gordel. Links, regs, links slaan hy John waar dit oop is. Hulle los hom om te val toe sy lyf slap raak. "Poes!" 'n Swaar stewel sink twee, drie keer in sy ribbes weg. John kreun en bly lê.

"Ghaait, boys, fok die plek op. Dit moet lyk of hieg ingebgeek is."

Een vir een gaan hulle deur die vertrekke. Laaie word oopgepluk en die inhoud op die vloer gestrooi.

"Kont! Hiegin sal jy nie weeg koffie maak nie." Die knuppel laat die perkuleerder aan stukke spat.

"Kom, boys, kom ons fokof." Op pad uit sien hy die bottel Allesverloren op die rak. "Lanie, nè." Hy vat dit saam. Alles word oopgelos terwyl John roerloos bly lê.

"Jy lyk soos een wat 'n slegte nag gehad het. Of het jy dalk te laat gaan slaap?" sê-vra Rentia. "Ek dog jy is al met verlof."

"Ja, maar my pa-hulle kom my eers vanaand oplaai. En ek het min geslaap. Ek is uitgeroep vir 'n noodop."

"Hmm." Rentia ruik kastig 'n paar keer in die lug. "Jy ruik lekker. Nie soos hospitaal nie."

"So dan was dit jy! Ek het gewonder hoe hy kon weet dis my gunsteling-parfuum."

Rentia glimlag en wys sy moet vertel.

"Ja, oukei. John het vir my blomme gestuur. En 'n 50 ml Tommy Girl."

"Oulike man. En ek sal bieg, hy't gebel om raad te vra. Wou blomme koop en parfuum. Tot 'n nuwe koffie plunger! Wil jy hom nie maar weer 'n kans gee nie?"

"As jy net weet hoe baie het ek die laaste ruk hieroor gedink! Het tot nou die dag met my ma-hulle gaan gesels. Ek hou regtig van hom, Rentia. Maar ek weet nie . . .."

"Praat net met hom. Gesels die ding heel uit, toe."

Rentia sien dat Anja huiwer. Maar sy ken haar vriendin lank genoeg om te weet dat sy dit sterk oorweeg. "Ons ry sommer nou. Ek sal saamkom."

Toe Anja nog wil protesteer, trek Rentia haar op. "Kom!"

Anja is dadelik bekommerd toe sy sien John se plek staan oop. "Jong, hy is heeltemal te kan-nie-worrie na my sin. Ek hét al vir hom gesê hy moet sluit. Kyk waar loop die hond. Oubaas! Oubaas! Kom hier."

Chaos begroet hulle binne. John lê nog op die grond.

Rentia snak na haar asem toe sy hom sien. Anja storm op John af en kniel by hom. "Rentia, my tas! Gou! In die kar se bak." Rentia hardloop motor toe en terug.

"Kry 'n ambulans! Vinniger!" roep Anja voor die dokter in haar oorneem. Sy begin hom vinnig en deeglik ondersoek. Rentia kniel en probeer sy kop oplig.

"Nee, moet hom nie nou roer nie!" Anja vee die bloed van sy gesig af en voel vir 'n pols. John kreun. "Johnna, lê stil, ek wil nie hê jy moet verder seerkry nie. Wat het hulle aan jou gedoen?"

Rentia kyk grootoog toe en gee alles aan wat Anja vra.

"Rentia, wat staan jy so! Bel die polisie! En moet aan niks raak nie! En laat Oubaas sommer agter uitgaan." -

Dit voel vir Anja soos ure wat verbygaan voor sy die ambulans hoor stilhou en paramedici 'n draagbaar indra.

"Versigtig! Eers die nekstut voor julle hom roer!"

"Ek ken my werk," antwoord een sonder om vir haar te kyk.

"En ek is 'n dokter!"

Rentia sit haar hand op Anja se arm en hou haar terug toe dit lyk of sy wil oorvat. "Kalmeer, Anja, hulle weet wat om te doen. Toe, ry saam, ek sal wag en sluit as die polisie klaar is."

"Bel Milpark. Sê ek is op pad," sê Anja toe sy saam met die paramedici uitloop.

Rentia kyk rond. Oral lê dinge gestrooi op die vloer. Elke vertrek het deurgeloop. Die studeerkamer is die ene papiere. Sy raak aan niks. Die kombuisvloer is besaai met stukkende breekgoed. Op die kant van die bed in die hoofslaapkamer gaan sy versigtig sit. Die bedkassie se laai hang skeef. Op die vloer lê 'n boek, donkerbril en 'n wekker.

Die ondersoekbeampte neem haar naam, adres en verklaring. Saam met hom gaan sy deur die huis. In elke vertrek maak hy notas. Hy noem dat die vingerafdrukdeskundige op pad is en vra dat sy sal wag.

In die gang buite John se saal in die Milpark-hospitaal, sit Anja haar arms om haar pa se nek en druksoen hom. "Paps, dankie dat julle gekom het. Ek waardeer dit."

"Ons sou hom graag onder ander omstandighede wou leer ken, my kind."

"Mamma!"

"Ek is jammer, hartjie."

Sy druk haar ma sonder om te praat en kyk daarna weer na die dokter se verslag. Dit toon veelvuldige frakture: linkersleutelbeen, -voorarm en twee ribbes. John het verskeie kneusings en snye aan die kop en lyf.

Anja roep haar pa eenkant. Haar stem is weer ferm. "Die polisie was hier." Sy trek grootoog vir hom. "Hy kon die aanvallers beskryf."

"Ek hoop hulle word gevang."

Anja kyk weg voor sy sag praat. "Nee, Pa hoop nie so nie."

Haar pa kry diep fronse op sy voorkop. "Wat bedoel jy?"

"Ouboet."

Hy skud sy kop. "Is jy seker?"

"Ja. Hy het hom deeglik beskryf. Vlek op die wang. Sny onder die oog. Aksent."

Ná 'n rukkie gaan sy voort: "Daar is twee klagtes. Die een is aanranding met die doel om ernstig te beseer."

183

"En die ander een?"

"Kwaadwillige saakbeskadiging. As ek hom in die hande kry, maak ek hom vrek."

Haar pa draai om en kyk af.

"Ek is jammer, Paps. Dit was onnodig."

Haar pa lyk oud wanneer hy krom en met 'n geboë hoof wegstap.

Sy draai om en gaan weer die saal binne.

"Mams." Anja beduie in haar pa se rigting. "Hy het jou nodig."

By die saalsuster se kantoor maak sy 'n oproep. Sy spoeg die woorde uit: "Hoe kon jy!"

"Wat?"

"Jy weet goed!"

"Slaan my dood, wat moet ek weet?"

"Is jou dinges nog seer van die skop?"

"Hy's 'n tgonkvoël."

"Jy sal jou storie moet ken om dit nie self te word nie."

"Ek was maarg net bekommergd oorg jou. "

"Jy wys jou gesig nooit weer naby my nie! Verstaan jy my? En as ek jou goeie raad kan gee, verdwyn. Die polisie soek jou."

Sonder om enigiets verder te sê, plak sy die telefoon neer en stap terug na John toe. Hoe de hel kan sy vir John kwalik neem omdat hy sy verlede verswyg het terwyl haar broer self soos 'n flippen tronkvoël optree?

Sy buk oor John. "Hoe voel jy nou?"

"Beter dankie, dis net my kop. Dis verskriklik seer."

"Jy het harsingskudding, dit veroorsaak hoofpyn, maar die pille sal nou-nou help. Slaap nou. Ek sal nie weggaan nie."

"Anja?"

"Toemaar, ek weet. Ek is ook jammer. En dankie vir die blomme en die parfuum."

"Ek dink mens sê gewoonlik met 'n soen dankie." Hy glimlag moelik.

Op daardie oomblik kom Rentia binne. Sy steek vas, kry 'n ondeunde trek op die gesig en begin praat.

"Hêêi, dit lyk my jy gebruik vandag heel onortodokse metodes van genesing."

Anja is dadelik op die verdediging. "Kan jy nie . . ."

". . . klop voor ek inkom nie?" val Rentia haar in die rede. "Tsk, tsk, tsk. Nie aan 'n oop saaldeur nie. Ek het dit nog nooit nodig gevind nie."

"Wanneer kan ek huis toe gaan, ek het baie werk," vra John nadat Rentia weg is. Hy wys ook na die aarvoeding. "En hierdie ding maak my seer."

"Hokaai, nie so baie goed tegelyk nie." Anja kyk na die drup en verstel daaraan. "Die dokter sê jy sal ten minste vannag moet bly vir waarneming. As jy môre beter lyk, sal hy jou onder goeie mediese sorg laat huis toe gaan."

"Bedoel hy ek moet 'n tuisverpleegster kry? Ek is mos darem nie so siek nie."

"Dít sal ek in elk geval nie toelaat nie." Sy druk met haar wysvinger teen haar bors. "Ek sal jou self versorg. En vergeet van die werk. Jy sal minstens drie weke se rus nodig hê."

'n Verpleegster kom binne, neem John se bloeddruk en gee vir hom medisyne. Anja kyk eers daarna en knik goedkeurend.

Die verpleegster tel John se bedkaart op en glimlag skalks vir Anja. "Wag, laat ek mooi skryf . . ."

Anja lag. "Ek het mos om verskoning gevra."

"Ja, ek weet, maar siende dat dokter belange het by die pasiënt, maak ek net dubbel seker."

"Wat is die storie van die uittrap?" vra John toe die suster uit is.

"Sommer iets privaats," sê Anja.

"Ek hoop jy het my foon gebring. Ek moet 'n paar oproepe maak."

"Net as dit nie werk gaan wees nie." Sy haal die selfoon uit haar handsak en gee dit aan. "Jy moet jou ma bel. Sy het na jou gesoek en sal wil weet hoe dit gaan."

"Hoe het sy by jou uitgekom? Sy het nie jou nommer nie."

Anja vertel dat sy en Rentia by sy huis was om op te ruim toe sy ma gebel het. Uit John se vrae kom sy agter dat hy nie weet presies hoe kwaai die huisinhoud deurgeloop het nie.

"Is iets verkeerd?"

"Ek dink maar net. Het jy gesien of Willem se lêer met foto's daar was?"

"Nee, ek . . ."

Voordat Anja kan klaar praat, val John haar in die rede: "Toemaar, dis nie belangrik nie." Maar Anja kan sien dat dit hom steeds pla. Dit krap aan haar. Hoekom is dit die enigste ding waaroor hy uitvra? Maar sy wil nie nou daaroor dink nie. Verder moet sy nog besluit of sy hom van haar ouboet moet vertel.

Anja kan sien dat die slaappil begin werk. Lank nadat hy aan die slaap geraak het, sit sy nog daar. Haar gesprek met Ouboet bly haar pla. Maak nie saak wat hulle vir mekaar sê nie, hy bly haar broer. Sal John verstaan dat hy haar net wou beskerm? Of gaan sy verlede altyd 'n kwessie bly binne hulle verhouding?

26

Vroeg Maandagoggend stap Michelle die aankomssaal van OR Tambo-lughawe binne. Behalwe 'n aktetas en haar handsak het sy geen bagasie nie. Sy loop direk na die motorhuurfirma se toonbank, teken die kontrak en vra waar sy die voertuig kan kry.

Die polisieman net buite die uitgang laat haar skrik. Nog twee dae dat sy oor haar skouer moet loer voor sy vry is. Haar nuwe naam sal Michelle Aggenbach wees. Dié keer so wettig as wat kan kom. Daarvoor sal sy sorg.

Sy is nie alleen toe sy by die bank aankom nie. Saam met haar is die sekuriteitswag wat haar huis oppas.

"Hulle sal jou nie gewapen binne toelaat nie. Jy sal hier moet wag, asseblief."

Sy gaan die bank binne. By die toonbank sê sy dat sy die loket nie langer gaan gebruik nie. Nadat sy vorms ingevul het, gaan sy na die onderste verdieping en sluit die loket oop. Binne in haar aktetas is nog 'n kleiner een. Sy tel R1 400 000 af en plaas dit in die groot tas. Die res van die geld sit sy in die kleiner tas saam met haar rekonsilia-sieboek. Hoewel sy weet dat sy nie haar selfoon binne die bank mag gebruik nie, haal sy dit nogtans uit.

"Jy kan nader kom, ek is gereed," sê sy oor die selfoon. Die stem aan die ander kant bevestig dat hy reeds voor die bank geparkeer is. Dis haar boekhouer. Sy laat die loket oop, neem die trappe na die banksaal en handig die sleutel in by die toonbank.

Buite wil die sekuriteitswag die tasse by haar neem.

"Nee, jou werk is om dit op te pas, nie om dit te dra nie."

Hy knik bevestigend en kyk rond terwyl hulle na die motor stap om die tasse in die bak te sit.

"Onthou, ek wil weet as ons gevolg word."

"Goed, mevrou."

"Weet jou mense waar om jou weer te kry?"

Hy gee die adres.

"Reg. Sodra ons binne die gebou is kan jy gaan."

Hulle bereik die kantoor in Maudestraat sonder voorval. Die sekuriteitswag klim eerste uit, kyk om hom rond en klop aan Michelle se venster.

"Ek wil alleen ingaan," sê sy vir die boekhouer. "Dis 'n saak tussen my en Neville. Buitendien, die mense hier ken jou, maar nie vir my nie. Hulle sal dink ek is 'n kliënt. As ek klaar is, gaan ons saam na die makelaar toe."

Hy sluit die bak oop. Michelle neem die groot tas en gaan in.

"Ek is hier om meneer Stemmet te sien."

"Goeiemôre, wie sal ek sê wil hom sien?"

"Michelle. Hy sal weet wie dit is."

"Net 'n oomblik, asseblief."

Neville kom haar self haal. Hy lyk befoeterd, maar klink oorvriendelik toe hy praat.

"Michelle! Wat 'n verrassing. Kom deur."

Hy maak die kantoordeur agter hom.

"Wat de duiwel maak jy hier! Jy weet wat ons ooreenkoms is."

"Ek weet goed wat dit is," knip sy hom driftig kort. "Dis nie ek wat dit verbreek het nie, dis jy!"

Neville het haar nog nooit so hoor praat nie.

"Hoe meen jy?" vra hy ewe nonchalant. "Ek het nog nooit so iets gedoen nie."

Michelle antwoord woedend: "Moenie lieg nie, Neville! Jy het my bedrieg!"

"Nooit!" keer hy.

"Jy dink ek weet nie van die nommer 2-rekening nie, nè!"

Neville voel die trilling in sy hande. Hy kyk weg.

"Boonop vervals jy nog die makelaar se state en fakture ook!"

Hy probeer weer uit die situasie kom deur self aan te val. "Nou gaan jy te ver! Ek het nog nooit so iets gedoen nie. Noudat dit goed gaan, probeer jy my natuurlik hier uitwerk!"

Michelle skud haar kop in ongeloof. Haar stem is sag toe sy sê: "Sal ek die boekhouer gaan roep? Hy wag hier buite met al die bewyse."

Neville gluur haar aan. Sy tel die aktetas op, sit dit op sy lessenaar en maak dit oop. "Jou geld, Neville, tel dit."

Neville dink vinnig. Hy besef dat dit die laaste van die geroofde geld moet wees. As Michelle nou uitloop en aandele vat, sit hy met die warm geld. Vir al wat hy weet het sy ook 'n wenk by die polisie gelaat.

"Een punt vier miljoen op die kop," antwoord hy toe hy klaar is.

"Korrek, Neville." Sy haal die kontrak uit en skuif dit oor die lessenaar. "Teken."

"Michelle! Jy weet ek kan nie!"

"O ja, jy gaan, of sal ek met jou vrou gaan gesels?"

Neville trek sy asem in. Hy maak sy kwitansieboek oop

189

en begin skryf. Hy is pas klaar met haar naam toe sy hom keer.

"Los maar, Neville, teken net die kontrak. Dis al wat ek nodig het."

"Michelle, hoekom doen jy dit?"

"Neville, dis jou eie skuld. Het jy ooit gebrek gehad vandat ek jou my vennoot gemaak het? Nee, jy het nie. Mooi motors, ja. En 'n strandhuis. Dan doen jy dít!"

Neville sak al laer af in sy stoel terwyl sy verduidelik hoe sy hom uitgevang het. Sy sê sy is haastig, die boekhouer wag buite vir haar sodat hulle na die makelaar se kantoor toe kan gaan vir finale reëlings.

"Ek wil by wees as jy met die makelaar praat," sê Neville terwyl hy teken, "Hoe anders sal ek weet jy verneuk my nie?"

"Hoor wie praat. Toe, teken."

"Ek het seker nie 'n keuse nie." Hy staan op, sluit die kluis oop en sit die tas daarin.

"Die selfoon, Neville. Dis ook myne."

Hy gee dit aan."Kan ek asseblief een oproep alleen maak?"

"Teken eers, daarna is die kantoor joune."

Neville skuif die getekende kontrak terug.

"Nee, Neville, daar kort getuies se handtekeninge."

Hy roep Lelane en Duart in en verduidelik dat hy en Michelle 'n kontrak aangegaan het. Nadat hulle as getuies geteken het, druk Michelle die kontrak in haar tas en staan op.

"Sien jou by die makelaar. Moenie my laat wag nie."

Twee van die takke waar die rowe plaasgevind het, bestaan nie meer nie. Willem skakel die ander drie en probeer om sy tienrandnoot aan een van die rowe te koppel. Oral kry hy dieselfde antwoord. Hulle rekords toon wel

190

dat daar 'n roof was, maar geen nommers van die note is beskikbaar nie. Een van die persone vra of hy al die *Reserwebank* probeer het. Hulle mag dalk rekord gehou het van nuwe note se reeksnommers en waarheen dit gestuur is.

Die vyfde persoon met wie hy praat, klink lus om hom te help. Hy neem die reeksnommer van Willem se noot en belowe om terug te skakel.

Willem is besig om sy oornagtas vir die rit na Nelspruit te pak toe die persoon terugbel en sê dat die betrokke noot afgelewer is by een van die takke op sy lys. Hy wonder of hy die polisie moet inlig, maar besluit om eers te kontroleer dat hulle nog steeds van dieselfde note by die vulstasie uitdeel. Op pad na Kempton Park skakel hy sy vriend by Binnelandse Sake en kry bevestiging dat Josias Gerhardus Stemmet, gebore 28 Januarie 1960, die seun van Neville en Kathy Stemmet is.

"Jackpot!" gil Willem en bal sy vuis.

In die QuickShop-winkel van Neville se garage vra Willem vir een van die halfpryspasteie. Hy is op pad Nelspruit toe. Die kassier antwoord dat hulle reeds uitverkoop is. Hy koop 'n vars pastei en betaal met 'n twintigrandnoot. Sy kleingeld bestaan uit 'n tienrand en 'n klompie munte. Buite vergelyk hy die reeksnommer met die ander een in sy beurs. Dis naby genoeg aan mekaar om te glo dit is van dieselfde jaar. Al dinkende eet hy die pastei. 'n Bietjie paniek mag dalk tot foute lei, besluit hy en loop weer die winkel binne.

"Forgot something?" vra die kassier.

"No, may I see the manager?"

"Is something wrong with the pie?"

"No, nothing, I just want to see the manager. It's private."

"Just a moment." Die kassier klop aan die glasvenster agter hom en beduie daarna in Willem se rigting.

Hy stel homself hierdie keer ordentlik voor toe Coen Swarts uitkom.

"O, dis jy. Het jy toe met die baas gepraat?"

"Nee, nog nie, maar ek dink ons moet eers gesels."

"Meneer, daar is niks wat ek jou kan vertel nie. Hier rond doen die baas die praatwerk."

Willem probeer formeel klink. "Meneer, ons moet dringend praat. Hierdie kleingeld wat jy uitdeel, is warm geld."

"Geen kommentaar. Daaroor moet jy met die baas self praat. Ek werk net hier."

"Jy verstaan nie, meneer Swarts. Ek is 'n speurder. Hierdie geld kan positief verbind word met 'n bankroof. Jy is in beheer van die geld en is daarom self betrokke."

Coen lyk bekommerd toe hy antwoord: "Kom deur."

In Coen se kantoor vertel Willem hoe hy die plek moes dophou. Dat hy een van die note as kleingeld gekry het en dit aan 'n ander saak probeer koppel het. Hy kon nie daarin slaag nie, maar nadat hy navorsing en navrae gedoen het, kan hy die betrokke noot aan 'n spesifieke bankroof koppel. Deurentyd lyk Coen baie senuagtig. Willem eindig sy vertelling. Hy is op die punt om die polisie te skakel. Dit sal hom, Coen, as medepligtige impliseer, maar deur saam te werk, kan hy sy eie saak bevoordeel.

Coen probeer keer. "Meneer, ek het 'n vrou en 'n kind op universiteit. Ek kan nie bekostig om by so iets betrokke te wees nie. Wat kan ek doen om te help?"

"Ek soek 'n verklaring, meneer Swarts, en jou samewerking. Ons moet hierdie man laat vastrek."

"Soos ek gesê het, ek sal saamwerk, maar watter bewyse is daar? Ek kan nie my werk op die spel plaas vir 'n storie nie."

"Laat ek net gou my lêer in die kar kry."

Toe Willem uit is, handel Coen vinnig. "Elias, gou, drop jou change! Vinnig, voor hy terugkom."

Sonder om die note in 'n sakkie te plaas, gooi Elias dit deur die gleuf. Coen maak dit bymekaar en plaas dit saam met die ander in die tweede kluis voor Willem terugkom met sy lêer.

Hy wys die koerantuitknipsel wat handel oor Neville se seun en verduidelik die verwantskap. Aan sy gesigsuitdrukking en lyftaal kan hy agterkom Coen is steeds bekommerd.

"Dit klink na 'n baie ernstige saak, meneer," sê Coen. "Op die oomblik is daar baie min van die note oor. Die Baas het gesê hy sal môre nog stuur. Moet ons nie tot dan wag nie?"

"Hoeveel is oor?"

"Omtrent R2 000."

"Kan ek dit sien?"

Coen skud sy kop. "Nee. Ek sal eers met die baas self wil praat."

Sy hand skiet uit na die telefoon wat lui.

"Swarts!" klink Neville se bombastiese stem in sy ore. "Die kleingeld. Dis in 'n tas in my kluis. Jy het die kode. Kom haal dit, ek gaan uit wees vir die res van die dag."

Coen sit die telefoon neer toe hy die lyn hoor doodgaan. "Meneer Lotriet, ek moet dringend uitgaan. Kan jy môre weer kom dat ons kan klaar gesels?"

Willem leun agteroor. "Uhm. Eintlik nie. Wat van Woensdag?"

Coen stap saam met Willem tot by die deur en hou hom dop tot hy ry. Hy draai om, maak die geldlaai oop en gee honderd rand vir die kassier.

"Elias, hier was niemand vandag nie, hoor jy."

"Yes, sir. Thank you, sir. I saw nobody."

193

Voor hy Sandton toe ry, sit Coen lank in sy kantoor en dink. Die storie van die bankroof maak sin. Hy glo al lankal dis warm geld. Hy het net nooit geweet presies hoe warm dit is nie. Die idee wat in sy gedagtes opkom, laat eers sy maag draai, maar langsamerhand neem 'n lekker-kry-gevoel oor.

By die makelaar se kantoor kyk Neville vir die eerste keer na die detail op die kontrak. Michelle kry amper al die genoteerde aandele. Hy hou slegs aandele ter waarde van R250 000 oor saam met die kontant wat hy by Michelle gekry het, terwyl die kliënte se aandele oorgeplaas word na die makelaar se firma toe.

"Michelle, jy kan dit nie doen nie. Dis my inkomste daardie!"

Haar stem is ferm toe sy antwoord: "Ek kan, Neville, ek beskerm die kliënte."

Hy kyk magteloos toe terwyl die makelaar 'n rekening in Michelle se naam open en die aandele daarheen oor-dra.

"Geluk, Neville, jy is nou die alleeneienaar. Nou kan jy lekker met die nommer 2-rekening werk."

Neville voel hoe sy asemhaling versnel, maar ná 'n paar oomblikke weer bedaar. "Ek dink nie jy is snaaks nie."

"Meneer Stemmet," sê die makelaar, "ek glo jy sal ver-staan dat ek nie meer jou makelaar wil wees nie. Laat weet my asseblief vandag nog waarheen om jou sekuri-teite oor te plaas."

Hy hakkel effens toe hy antwoord: "Maar . . . wie . . . waar kry ek 'n ander makelaar? Wil jy nie heroorweeg nie?"

Sy antwoord is ferm. "Meneer Stemmet, ongelukkig nie. Hier is 'n lys van alle geregistreerde makelaars. Tot nou toe het ek net met Michelle onderhandel. Ek sien nie kans om N and M se boeke verder te hanteer nie. Ek is wel gewillig om dit te doen tot en met die jaarafsluiting oor twee maande."

Neville antwoord kortaf: "Ek sal jou bel." Hy prop die hoop papiere in sy tas en vertrek sonder om te groet.

Nadat Neville weg is, vertel Michelle hulle van die analitiese metode wat Duart ontwikkel het en die resultate wat Neville na bewering daaruit kon behaal. Die makelaar ontleed die BK se transaksies en vind dat Neville die afgelope maand groot bedrae wins gemaak het. Amper alles is na die nommer 2-rekening gekanaliseer. Op die kort termyn het hy opbrengste van meer as twintig persent verkry. Die makelaar se laaste opmerking is dat dit fantasties is, veral wanneer daar in ag geneem word dat die beurs die afgelope paar maande met ongeveer tien persent gedaal het.

Michelle besef dat Neville nie genoeg geld gaan hê om sy personeel aan te hou nie en stel voor dat die makelaar dit oorweeg om vir Duart 'n pos aan te bied.

Hy dink 'n rukkie en belowe om hom later te skakel.

Coen groet Lelane skaars toe hy by Neville se kantore instap.

"Môre, meneer Swarts. Die baas is nie hier nie. Hy het gesê hy sal nie vandag weer in wees nie."

"Maak nie saak nie." Coen se oë draai na die rekenaarkas in sy hande. "Ek bring net sy upgrade. Dit pas my dat hy nie hier is nie. Nou kan ek dit eers toets voordat hy daarop begin werk."

"Wat van tee?" vra Lelane vriendelik.

"Nee, dankie. Miskien later."

Coen maak Neville se kantoordeur agter hom toe. Hy ontkoppel die skerm, skakel die krag af en maak albei die rekenaars oop. Die een wat hy pas daar aangebring het, is een van die smal modelle wat regop staan. Daaruit haal hy 'n stel chirurgiese handskoene en 'n hardeskyf. Vinnig ruil hy die skyf om met die een in Neville se rekenaar. Hy maak Neville s'n toe en koppel weer die monitor. Die skyf wat hy uit Neville se rekenaar verwyder het, sit hy los onder in die leë rekenaarkas.

Coen lees die kluis se kombinasie van 'n vel papier af en maak dit oop. Hy haal die geld uit en sit dit ook in die leë rekenaar. Hy bewe toe hy die handskoene uittrek. Met die leë tas terug in die kluis toets hy elke program om te sien of dit reg werk. Die program wat die maandstate druk, druk weer die state soos voorheen. Hy opdateer die data en kontroleer dit teenoor die jongste finansiële state op Neville se lessenaar. Hy glimlag breed toe hy sien dit klop.

Coen sien nie die Golf wat hom op 'n afstand volg nie. Hy ry verby die vulstasie, draai regs by die volgende verkeerslig en hou stil in die gholfklub se parkeerterrein. In die manskleedkamer maak hy een van die sluitkassies oop en sit die rekenaar daarin. Hy sluit die kassie en gaan kroeg toe. Die handskoene gooi hy in die verbyloop in een van die vullisdromme.

Hard sê hy: "Barman, dop vir almal in die kroeg. Hierdie rondte is op my."

"Lyk my die ou het 'n bank beroof," roep een van die poolspelers uit.

"Maak myne 'n double," is Coen se woorde toe hy op een van die hoë stoele by die toonbank gaan sit.

Willem praat in die ry. "My maat, ek hoor julle betaal nog kommissie as mens 'n saak help oplos." Sy vuis bal in die lug toe hy hoor dis tien persent. Hier kom sy break. As hy hulle aan al die rowe op sy lys kan verbind, sal

196

dit R350 000 beteken. "Jip, dis 'n moerse storie. Julle kan geld opspoor wat tien jaar gelede geroof is."

"Hoe seker is jy?"

"Baie seker. Kry solank die lêer MR 95/7496, ek is nounou daar."

Sy vorige baas en drie speurders wag hom in. Hy word dadelik met vrae gepeper.

"Stadig, ek is een mens. Gee my 'n kans en ek vertel alles."

Hy spandeer omtrent 'n halfuur om al die feite te gee. Deurentyd vra die speurders vrae en maak notas. Hy haal die note uit wat hy vir kleingeld gekry het, so ook dié van die lening.

Nadat hy sy verklaring afgelê het, vra hulle hom om sy ondersoek te staak en sê dat hulle dit oorneem. Een van die speurders gee vir hom sy nommer vir ingeval daar onverwags verdere leidrade na vore kom. Willem sê niks daarvan dat hy vermoed Michelle gaan haar mikroleningsagent die volgende dag in Nelspruit besoek nie. Van Ephraim se betrokkenheid bly hy ook stil.

Nadat hy Barry Hertzog-rylaan gekruis het, kan Neville nie verder nie. Hy hou stil en begin vroetel in sy sakke. Hy hyg na sy asem toe die klein pilletjie onder sy tong inglip. Die motorbestuurder agter hom blaas 'n toeter. Neville trek weg.

Heelwat stadiger as gewoonlik ry hy huis toe.

Kortaf en sonder om te groet, sê hy vir sy vrou: "Ek wil nie gesteur word nie. Roep my as die kos klaar is."

"En nou, ou man, ek ken jou mos nie so nie?" Neville se vrou lyk geskok. Hy moes 'n slegte oggend op kantoor gehad het.

Neville klap die studeerkamerdeur agter hom toe. In 'n poging om regop te bly, leun hy met albei hande op die

197

lessenaar se blad. Stadig skuifel hy tot by sy stoel, gaan sit en sit nog 'n pil onder sy tong. Met bewende hande skakel hy die rekenaar aan. Hy voel verlig toe sy asemhaling begin bedaar. Hy kontroleer die stand van sake by die vulstasie. Tevrede dat die omset bly styg, skakel hy die rekenaar af. Dit gaan help.

Die aandele wat Michelle vir hom gelos het, sal kwalik sy skuld vereffen. Hy was verdomp agterlosig! Gelukkig het hy die kontant. Met bykans al sy inkomste uit die BK na die maan, gaan hy dit meer as ooit nodig hê. Hy sal mense moet afbetaal. Die vulstasie se inkomste is nie genoeg vir almal nie. Duart het geen kennis van die vulstasie nie. Miskien moet hy hom probeer behou sodat die aandele aan die gang kan bly. Lelane sal beslis moet gaan; Swarts, hoewel hy die vulstasie se opset goed ken, gaan hom te veel kos. Môre gaan hy 'n moeilike taak hê om te verrig.

27

Dis nog donker toe Michelle se wekker haar wakker lui. Sy staan op en trek aan. Haar oornagtas is reeds gepak. Die pistool hou sy lank in haar hand vas. Dit lyk asof sy nie weet wat om daarmee te maak nie. Uiteindelik sit sy dit in haar handsak.

Sy dra 'n donker pruik en 'n dikraambril toe sy voor die kantoor van N and M Asset Managers parkeer en in die straat rondkyk.

Michelle wys haar toegangskaart vir die hekwag. "Please watch my car."

"Sure, ma'am."

Voor sy die sleutel in die voordeur se slot draai, haal sy 'n nota uit haar handsak. Sy het twee jaar gelede die kluis en alarm se kombinasies daarop geskryf en hoop nie Neville het dit intussen verander nie. Sy druk die deur agter haar toe en stap reguit na die elektroniese paneelbord. Haar vingers gly oor die knoppies. Die liggie hou op flits. O, jou stupid mansmens. Sy kyk weer op die nota, draai die kombinasie tot sy die klikgeluid hoor en maak die kluisdeur oop. Michelle lag sag toe sy die tas sien. As hy dink sy gaan die geld vir hom los, moet hy mal wees. Die gewig van die tas laat haar frons. Sy maak die leë tas op Neville se lessenaar oop. So 'n wetter! Sy sal soek tot sy dit kry. Vinnig maak sy die tas toe en druk dit terug in die kluis. Op soek na 'n moontlike bêreplek kyk sy in elke vertrek, loer in al wat 'n laai is en bly hande op die heupe staan in die gang. Sy sien die beweging by die voordeur en glip by die toilet in. Haar hartklop word al hoe vinniger. Wie sal so vroeg inkom kantoor toe? Sy hoop die een wat ingekom het bly weg van die toilet af. Ná 'n rukkie loer sy om die deur. Die gang is leeg. Bly dat sy plat skoene aan het, loop sy sag op haar tone voordeur toe.

"Haai! Wie is jy?"

Michelle eien Neville se stem, swaai om, maar antwoord hom nie. Sy kom agter hy herken haar nie en wonder of sy nie moet weghardloop nie, maar besef dat hy die hekwag sal laat weet.

"Wat soek jy hier?" vra Neville bars.

Sy huiwerende houding laat haar besef sy kan hom aanvat. "Die geld, Neville, wat anders?" sê sy koel en stap na hom toe.

"Jy!"

"Ja, Neville. Ek het my geld kom haal."

"Dis g'n joune nie! Uit!"

Michelle stap nog nader. Hy retireer tot by sy kantoordeur. Sy volg hom toe hy vinnig ingaan. Die telefoon in sy hand laat haar instinktief optree. Sy voel die skok in haar hand toe sy die sneller trek. Neville se kop ruk voor hy val. "Shit," sê sy sag en beweeg stadig om die lessenaar tot waar hy bewegingloos lê. Sy wil eers weghardloop, maar besef dit sal die verkeerdste ding wees wat sy kan doen. Haar gedagtes werk vinnig. Sy sak af op haar knieë en druk die pistool in sy hand.

Die voordeur bly oop agter haar terwyl sy holrug terugstap motor toe. Sy hoop dat die hekwag nie die skoot kon hoor nie en kyk weg wanneer sy by hom verbyloop.

Na alles het Charlie se pistool 'n doel gehad. Gelukkig het sy dit nooit hier gelisensieer nie. Die moontlikheid dat die hekwag haar motor se nommer sal onthou, pla haar nie. Hulle sal Susan Bekker nooit kry nie. Dis jammer dat sy nooit weer die ID-boekie wat sy in die Mall opgetel het, sal kan gebruik nie. Dit en die dikraambril het sy nog net vandag nodig.

Op pad na die lughawe wys haar kneukels spierwit af teen die stuurwiel. Sy kyk gereeld in haar kant- en truspieëltjie. Dit was 'n fout om hom te skiet. Sy moes liewer dadelik padgegee het. By die motorhuurfirma se perseel sit sy eers 'n paar minute en kyk deeglik rond. Daarna gee sy die sleutels in en gaan die lughawegebou binne.

"Is daar 'n moontlikheid om 'n vroeër vlug te kry?" vra sy vir die klerk by die inweegtoonbank.

Hy vra haar identiteitsdokument en tokkel op sy sleutelbord.

Kan die man nie vinniger nie, of wil hy nie? wonder sy en kyk vlugtig oor haar skouer in die rigting van die voordeur. Sy voel lus om hardop te sug van dankbaarheid toe sy kop knik.

"Daar is 'n vlug wat om 9:45 vertrek."

Michelle sit haar oornagtas op die skaal langs die terminaal en hou die klerk dop terwyl hy tydsaam die nodige plakkers daarop plak voor hy haar instapkaart aangee.

"Geniet u vlug," sê hy vriendelik.

"Ek sal. Dankie.

Sy probeer op haar gemak lyk toe sy by die vertreksaal ingaan. In die toilet haal sy die bril af en kyk na haarself in die spieël. As sy net weet of Neville al gevind is. Die sekuriteitswag sal haar waarskynlik kan beskryf. Sy kyk op haar horlosie. Selfs al is Neville nie dood nie, is dit nog te gou om haar op te spoor. Sy sit die bril weer op haar oë. Sy sal dit ophou tot sy klaar is in Nelspruit en saam met die pruik en klere daar weggooi.

Michelle was die sweet van haar hande af, haal haar selfoon uit en skakel.

"Dumesani," sê sy toe hy antwoord. "I'll be there at twelve."

Lelane se gil trek deur die stil kantoor. Duart is die enigste ander mens op kantoor en is vinnig by haar. Hy kyk na Neville waar hy op die grond lê. Die telefoon hang nog oor die rant van die lessenaar. "Kry 'n ambulans!"

Met bewende hande skakel sy die noodnommer en gee die adres. Daarna bel sy vir Coen.

"Kom gou!" snik sy. "Iemand het die baas geskiet."

"Ek kom. Het julle al die polisie gebel?"

"Nee, maar maak net gou, asseblief!"

"Moet aan niks raak nie en bel die polisie. Dadelik!"

Lelane gaan sit by Duart se lessenaar, lê met kop op haar arms. Ná 'n rukkie kyk sy op. "Ons moet seker sy vrou ook bel."

Coen Swarts klim uit sy kar. Die feit dat die ambulans, 'n uur nadat hy uit Kempton Park weg is, nog steeds daar is, vertel vir hom dat hulle niks vir Neville kon doen nie. Hy kry vir Lelane waar sy steeds by Duart se lessenaar sit. "Het die baas se vrou al gekom?" vra hy vir Duart.

"Nee. Ons het gesukkel om haar in die hande te kry, maar sy is op pad."

Coen kyk vir Duart. Sy oë beduie na Lelane. "Ek dink jy moet haar huis toe vat. Hier is in elk geval niks wat sy kan doen nie. Bly by haar tot sy gekalmeer het. Beter nog, kry haar by 'n dokter."

Kort nadat die liggaam weggeneem is, daag Neville se vrou op.

"Wat het gebeur? Vat my na hom toe!" gil sy.

As hy 'n predikant was, sou hy woorde gehad het. Sonder om te praat skud hy sy kop.

"Nee! Sê vir my dis nie so nie!"

Die trane in haar oë laat homself bewoë voel. Hy sit sy hand op haar skouer. "Mevrou, ek is jammer." Sy moet net nie flou word nie. "Kom saam." Hy vat haar koffiekamer toe waar die ondersoekbeampte wag.

"Inspekteur Van der Walt." Hy gee haar 'n handdruk.

"Madelein Stemmet." Sy gaan sit. "Wat het gebeur?"

"Mevrou, in hierdie stadium wil ek nie te veel sê nie. Ons weet nie presies nie. Hy het 'n pistool in sy hand gehad. Gevolglik is my eerste afleiding dat dit selfmoord was, maar ons sal eers moet toetse doen. Wat wel verdag voorkom, is dat die deur oopgestaan het toe die personeel opgedaag het."

"Dit kan nie wees nie. Hy het nie 'n pistool gehad nie. Nog nooit nie."

"Mevrou, weet u of hy miskien finansiële probleme gehad het?"

Coen tree tussenbeide toe sy begin huil. "Inspekteur, is dit moontlik om jou vrae 'n dag of twee uit te stel? Mevrou Stemmet is duidelik nie in 'n toestand om dit nou te beantwoord nie." Hy staan op, kry een van Neville se kaartjies op sy lessenaar en skryf die vulstasie se nommer daarop.

"Bel my. Ek sal alles doen wat jy vra. Maar nou moet ek na mevrou Stemmet omsien."

Toe almal weg is, kom Duart na Coen toe.

"Mag ek met jou gesels?" vra Duart.

Hulle gaan sit by sy lessenaar.

"Ek wou bedank vanoggend. Wat maak ek nou?"

Coen vra hom uit en laat hom alles vertel voor hy antwoord.

"Ek dink ons moet 'n dag of twee wag. Mevrou Stemmet mag jou dalk nodig hê."

Heelpad tot op Koedoeskop wonder Anja of John se ouers haar gaan aanvaar. Sy hoop nie sy is verkeerd aangetrek nie. Wetende dat sy ouers reeds aan die ouer kant is, sou sy seker beter gedoen het deur 'n rok, in plaas van 'n langbroek, te dra. Daaraan kan sy nou niks verander nie. Toe sy John se ML 320 by die plaaspad na sy ouers se opstal indraai, besef sy die rit het te gou na haar sin verby gegaan en sal sy oor 'n paar uur alleen wees. Juis nou, nadat hulle opgemaak het, wil sy graag by John wees. Tog besef sy dat die plaas waarskynlik die beste plek vir hom is om aan te sterk.

Dankbaar dat sy die beesras herken het, knoop sy ná die bekendstelling met John se pa 'n praatjie in die sitkamer aan.

"Ek sien oom het Santa Gertrudis-beeste. Is hulle volbloed?" vra sy.

John se pa vertel hoe hy met vyf Santas begin het, die kudde uitgebrei het en van die prys waarvoor sy eerste stoetbul verkoop is. Hy staan op. Een vir een haal hy sy trofeë uit die vertoonkas en vertel tot in die fynste besonderhede van elkeen. Watter bees dit gewen het en op watter skou dit was. Hy onthou tot die jaartalle uit sy kop.

"Dit lyk my jy ken beeste."

"Ja, maar oom gaan nie hou van wat ek wil sê nie."

"As die woord soos Brahmaan klink, wil ek dit nie hoor nie."

"Dan sê ek liewers ek weet ons menings verskil."

Hulle lag saam.

"Jy is vergewe. Jy kan nie help as die boer in jou familie nie beeste ken nie."

"Hoe lank boer oom al hier?"

204

John se pa vertel verder. Hoe die plaas drie geslagte te vore deur president Kruger aan die familie toegeken is. Hoe sy grootjie dit met 'n perd uitgemeet het en wie almal daar geboer het.

John kan sien dat Anja die regte snare roer. As sy nog familie ook begin uitlê, kan sy maar die sakkie toeknoop.

Asof dit telepatie is, is haar volgende vraag oor familie. Lustig vat sy pa die Lombards se geskiedenis meer as tweehonderd jaar terug en begin die stamboom uitlê. Vanaf Anthonie Lombard in 1780 word nie een oorgeslaan nie. Mans, vrouens en kinders. Hy weet ook waar elkeen geboer het. Toe hy asem skep, stel John se ma voor dat hulle 'n teetjie moet drink.

"Kan ek help, tannie? Ek kan darem koppies regsit."

"Stap saam, hartjie, dit sal gaaf wees."

'n Rukkie later lag Anja toe John opstaan om die skinkbord by haar te vat. "Hoe dink jy gaan jy dit vashou?"

John kyk na sy arm. Verleë gaan hy weer sit.

"Pa, kyk wat het sy gebring!" Dis John se ma wat praat. "'n Melktert."

Sy blik spreek van goedkeuring toe hy sê dat melktert sy gunsteling is. Het Anja dit self gebak?

"Nee oom, maar ek het dit self gekoop! Eintlik weet stadsmeisies soos ek nie veel van kosmaak af nie. Maar ek weet darem hoe werk 'n mikrogolfoond."

Die dokter in haar is terug toe sy wil vertrek. "Tannie, onthou hy mag homself nie ooreis nie. As hy wil hê sy arm moet mooi aangroei, dan moet hy dit oppas."

John stap saam buite toe. Die oomblik is intiem toe hulle groet.

"Ek gaan verlang."

Met sy gesonde arm trek hy haar nader vir 'n soen. "Ek ook. Kom haal my Saterdag. Mooi ry."

Hy bly staan tot die motor buite sig raak.

28

Willem frons toe hy die SMS lees. Net een woord: *Nelnjoga*. Dit beteken Ephraim en Dumesani is op pad Nelspruit toe en dat Dumesani die slang by hom het. Ephraim het gebel om te vertel dat Dumesani 'n mamba in 'n boks het. Willem ril. Wat de hel maak die man nou met 'n mamba?

Willem kyk weer op sy horlosie. Dit pla hom dat hulle so vroeg reeds op pad is. Met 'n taxi is Barberton skaars meer as 'n halfuur se ry van Nelspruit af en volgens wat Ephraim vertel het, moet Dumesani eers later die middag daar wees. Hy weet daar is plek vir 'n M. Fouché op die middagvlug bespreek en wonder of sy van vlug verander het. Gelukkig is daar net twee vlugte vir daardie dag. Hy besluit om ook vir die eerste vlug by die vliegveld te wag.

Ephraim het uitgevind dat Dumesani en Michelle mekaar by die Crocodile Inn sal kry, maar volgens wat hy kon vasstel, is sy nie daar inbespreek nie. Hy sal nie verbaas wees as sy 'n ander naam gebruik nie. Maar hoekom vlieg sy in so 'n geval as M. Fouché? Dat die Crocodile Inn net 'n optelpunt kan wees, kan hy ook nie buite rekening laat nie.

Hy skakel sy radio aan en ry vliegveld toe. 'n Halfuur voor die oggendvlug se geskeduleerde landingstyd soek Willem 'n plek uit van waar hy alles deur sy verkyker kan dophou.

"Gmf. Weird Anja-musiek," sê hy hard en soek 'n ander stasie. Nie lank daarna nie lui sy selfoon.

"Luitenant, ek is in die kar en kan hom sien. Hy hou die boks met die slang heelpad op sy skoot vas, maar wat snaaks is, is dat dit toegedraai is. Ons mense maak mos nie 'n pakkie so op nie."

"Hou hom net fyn dop, Ephraim. En as dit lyk of dit nodig is, kan jy maar interfere."

Soos gewoonlik klop sy hand op maat van die musiek teen die stuurwiel. Maar die luitoon wat aan Ephraim se nommer gekoppel is, laat sy ander hand uitskiet na sy selfoon.

"Yes, Ephraim," antwoord hy.

"Luitenant, dit lyk my na 'n pick up site, want hy wag in die kroeg."

"Oukei. Ek dink jy is reg."

Michelle is vierde in die ry by die motorhuurtoonbank. Sy is bekommerd. Teen hierdie tyd het hulle al vir Neville gekry. Sou die hekwag haar kan beskryf? Sy kyk om haar rond terwyl sy haar beurt afwag. Sover sy kan agterkom, is dit net die passasiers wat saam met haar op die vliegtuig was wat ook daar rondstaan.

Willem tel sy verkyker op toe hy mense by die gebou sien uitkom. Nie een is 'n vrou nie. Hy sit die verkyker neer en wag verder. Hy wil net ry, toe hy weer mense sien uitkom. Die enigste blanke vrou stap in die rigting van die Avis-motors. Hy lig die verkyker op en fokus op haar. Hy kyk haar goed deur, maar kan niks sien wat hom aan Michelle Fouché herinner nie. Sy kon maklik die bespreking gemaak het om aandag af te lei en is dalk per motor op pad. Vir al wat hy weet, het sy reeds die vorige dag gekom.

Willem ry in stilte terug hotel toe. As dit nodig is, sal hy weer vir die middagvlug kom wag.

Sy selfoon lui. "Luitenant, hulle ry dorp se kant toe." Die dreuning van Ephraim se motor is hoorbaar oor sy selfoon. "Maar sy is nie blond nie. Sy dra 'n bril en het donker hare."

Verdomp! Die uilgesig! Sy het hom geflous. "Bly op hulle gat, maar moenie gesien word nie!" Hy rat af en trap die petrol weg. "Hou die lyn oop!"

Hy vloek later hard toe hy hoor 'n verkeersman het Ephraim afgetrek.

Michelle gee instruksies terwyl hulle ry. Sy stel aan die radio. Sy hou stil by die busstasie en vat haar tas.

"Dumesani, you know what to do. In three week's time I will see you in Worcester."

"Sure, ma'am."

Willem kry vir Ephraim by die Kentucky. "Jou dom kak! Hoekom het jy nie dadelik jou polisie-ID gewys en aangery nie?"

Ephraim lyk omgekrap. "Luitenant, mens kan sien jy's nie 'n swart man nie. Ek is 'n Zulu, buite my jurisdiksie en met verlof. Daardie Xhosa sou my so diep gebêre het vir regsverydeling dat ek my ontbyt in die aand sal kry."

Willem knik ongeduldig. "Een van ons moet by die airport uitkom. Daai kar moet terug. Die ander een moet by elke hotel begin soek."

"En wat van al die gastehuise, luitenant? Ek dink nie ons sal eers almal kan kry nie."

208

"Wel, ons kan ten minste probeer."

Die ambulans en blou ligte voor die Absa-tak trek hulle aandag. "Check die baie mense." Hy hou stil. "Ek wonder wat het hier gebeur."

Ephraim roep een van die omstanders nader.

"There's a snake loose in the bank. It bit one of the tellers when the guy tried to handle it. Apparently it was delivered to him personally. Wrapped and everything."

'n Gevoel van magteloosheid sak op Willem neer. Wie ook al die pakkie afgelewer het, maak nie meer saak nie. Michelle sal reeds weg wees. Sy enigste hoop is dat hulle Dumesani nog kan kry.

"Ephraim, dink jy ook sy het hom gevra om die slang te kry?"

"Ja, luitenant. Hoekom anders was die ding so toegedraai?"

Willem parkeer en hulle klim uit om met die mense buite die bank te praat.

"Fokkit. Daar moet 'n link wees. Sy sou nie om dowe neute die slang spesifiek aan die ou afgelewer het as daar nie 'n link is nie. Hoekom sal sy hom wil dood hê en hoekom weet het ek nog nie die link nie?" Willem dink 'n rukkie voor hy weer praat. "Ons mors ons tyd hier. Kom ons gaan kyk of ons iets meer kan uitvind."

"Luitenant, hoekom is jy so haastig? Ná 'n slangbyt sal daai Stemmet-ou nie weghardloop nie."

"Stemmet!? Goeie fok!"

Willem is te oorbluf om die res wat in sy kop is vir Ephraim te sê. Hy haal sy selfoon uit en skakel die ondersoekbeampte wat die vulstasie in Kempton Park dophou.

"Inspekteur, dis Willem Lotriet. Ek het op nog 'n Stemmet afgekom wat dalk met die saak verbind kan word."

"Willem, ek het slegte nuus. Neville Stemmet is dood.

Ons is nog nie presies seker wat gebeur het nie, maar dit lyk of hy selfmoord gepleeg het. Hy is vanoggend vroeg dood in sy kantoor aangetref met 'n pistool in sy hand. Ons wag nou vir die coroner se verslag."

"Bliksem! Die vrou met wie ek hom probeer verbind, is in Nelspruit. Sy het 'n pakkie met 'n mamba in by iemand in Absa laat aflewer en sy van is ook Stemmet. Fok, tjom, dit kan nie toeval wees nie."

Hy druk die foon dood en praat dadelik met Ephraim.

"Ons het roadblocks nodig! Nou beter jy jou ID gebruik. Ek gee nie om wat dit verg nie. Bel. Organise dit! Ek wag vir hom by die airport en sal hom vat as hy die kar terugbring. Wag jy by sy plek in Barberton."

Michelle kyk op haar horlosie. Dis reeds 'n uur sedert die bus vertrek het. Dumesani moes al gebel het. Sy skakel hom, maar die selfoon lui net; hy antwoord nie. Sy hoop nie iets het verkeerd geloop nie. Sy het 'n nare gevoel.

Dumesani se SMS kom in toe sy by Bambi Motel verbyry: *Parcel delivered. Cannot get through. Lines busy.*

Die pad is stil toe Waterval Boven se ligte sigbaar word. Michelle kyk gedurig by die venster uit.

By die tweede motorhawe anderkant die tolhek naby Machadodorp hou die bus stil. Michelle klim uit vir 'n koeldrank.

"Ma'am, you people should be careful," praat die kassier met haar. "There was a jailbreak today and the police were here. They are looking for three convicts who escaped."

"Which way did they go?" vra Michelle.

Hy lig sy hande in 'n gebaar. "If the police knew, they would have caught them again."

"I mean the police, not the convicts. Which way did the police go?"

"Back to town, ma'am. They were just warning every-body."

Die res van die rit word 'n nagmerrie. By elke aanslui-ting verbeel sy haar sy sien 'n polisieman wat beduie dat die bus moet stilhou. As sy net weet of hulle na haar soek. Haar koeldrank is reeds warm toe sy dit oopmaak om te drink.

Toe sy uiteindelik in Pretoria by 'n hotel inboek, spoel die verligting deur haar.

Dis elfuur die aand toe Ephraim vir Dumesani by die aan-klagkantoor instamp.

"Dis die man wat die slang in die bank gelos het."

"You cannot prove it."

Ephraim haal sy ID-kaart uit. "Kry my die detective wat vandag by die bank was." Hy kyk weer vir Dumesani. "Ek hoop jy's reg vir die selle vannag. Fokken inja."

29

Michelle staan voor die OTM met haar kaart in haar hand. Haar kontant is byna op. Daar was genoeg geld in haar handsak vir die treinkaartjie tot in Bloemfontein. Sy wou nie haar kredietkaart gebruik nie. Totdat sy nie vir seker weet dat die sekuriteitswag haar nie herken het nie, wil sy nie kanse vat nie. Die polisie kan iemand maklik opspoor deur sy bankaktiwiteite na te gaan. Om enigsins verder te kom, sal sy dus kontant moet trek. Maar selfs dit voel vir haar onveilig. As sy net geweet het of hulle na haar soek, sou haar besluit makliker gewees het. Sy stap weg sonder om geld te trek. By die stasiekafee koop sy 'n koerant. Die opskrif gee haar 'n lam gevoel in die knieë.

Slang laat bank in chaos.

Sy sak neer by 'n tafel en sprei die koerant oop.

Pandemonium het in die Nelspruit-tak van Absa geheers toe 'n swart mamba eers 'n kassier gepik en daarna tussen die kliënte deurgeseil het. Flink optrede van die sekuriteitswag het gehelp dat alle ander persone ongedeerd daarvan afgekom het.

Meneer Giepie Stemmet, die ongelukkige kassier, het by navraag uit sy hospitaalbed vertel dat 'n swart man 'n pakkie met sy naam op vir hom gegee het. Hy het dit inge-

dagte oopgemaak en kon nie die slang se pik ontwyk nie.

Michelle hoor die kelner eers toe sy die tweede keer vra wat sy sal drink.

"Sprite Zero, please," antwoord sy sag en lees verder.

Hy ag homself gelukkig dat die nooddienste die regte serum by hulle gehad het. Hy sê hy kan glad nie glo wat gebeur het nie en dat dit vir hom 'n raaisel is waarom die pakkie aan hom afgelewer is. Die polisie het bevestig dat hulle na 'n onbekende swart man soek. Teen druktyd kon niemand nog in verband met die voorval aangekeer word nie.

Dis moontlik dat Giepie haar nie aan die voorval kan koppel nie, maar dit kan ook wees dat hy bang is sy betrokkenheid kom op die lappe. Sy drink haar koeldrank en stap weer in die rigting van die OTM. Miskien moet sy die kans waag. Sy verwens haarself dat sy nie vroeër daaraan gedink nie. 'n Tellermasjien in die straat sou nie haar vervoermiddel weggegee het nie. Maar nou is daar nie genoeg tyd om terug te gaan nie; haar trein vertrek oor minder as 'n halfuur. Nog 'n keer stap sy weg. Dié keer in die rigting van die trein.

Sy is bly dat die trein leeg genoeg is sodat sy nie 'n kompartement hoef te deel nie. Sy lees elke berig in die koerant vanaf bladsy een. Op elke stasie waar die trein stop, deursoek haar oë die perron vir 'n uniform. Sy weet dis nog te vroeg om Neville se naam in die koerant te sien. Maar vandag pla haar senuwees.

Michelle moes aan die slaap geraak het; kort duskant Kroonstad word sy wakker van 'n klop aan die deur. Sy lig die vensterklap op. Dit voel of haar hart 'n paar slae mis toe sy die man in 'n Spoornet-uniform in die gang sien staan. "Kaartjies, asseblief. Tickets, please," sê hy en klop weer.

Haar hande sukkel om die knip af te haal.

213

Coen se besoek aan die weduwee en haar seun vroeg die oggend ná sy dood is nie vir hulle vreemd nie. Baie van hulle bure en vriende was al daar. Coen simpatiseer en word ingenooi. In die kombuis skink sy vir hulle tee.

"Mevrou," sê hy, "dis miskien nie nou die maklikste tyd om aan dinge soos besigheid aandag te gee nie, maar ek dink dis dringend nodig."

"Hoe meen jy, was sy sake nie in orde nie?"

"Dis nie dit nie, mevrou. Daar is nou 'n boedel. As ek voortgaan om die geld in die bestaande rekeninge in te betaal, is dit vas."

"Hoe meen jy vas, meneer Swarts?"

Hy verduidelik dat, in geval van 'n boedel, bankrekeninge bevries word tot tyd en wyl 'n eksekuteur die sake kan oorneem. Selfs dan kan die geld nie noodwendig onmiddellik beskikbaar wees nie.

"Ek neem aan meneer het 'n testament?"

"Dis in die bank, ja."

"Mevrou, die besigheid kan nie stilstaan nie. Ons moet aangaan."

"Ek sal dit oorneem." Neville se seun kyk vyandig na Coen.

"Boet, jy weet niks van besigheid af nie." Mevrou Stemmet vat haar seun se hand. "Maak klaar met skool, dan oorweeg ons dit. Intussen sal Coen voortgaan as bestuurder.

Die res van die oggend help Coen haar om by al die banke uit te kom, vul die vorms vir haar in en doen omtrent al die praatwerk. Op pad na die laaste bank sê sy dat sy nie weet wat sy sonder hom sou gemaak het nie. Hy swel van die trots. Hulle open 'n nuwe rekening vir die besigheid en Coen kry volmag om die saak te bestuur. Hulle bespreek die personeel en stel voor dat hulle Lelane moet vra om haar verlof te neem sodat hulle kan besluit oor haar afbetaling. Op dié manier kan hulle geld spaar en hoef sy nie vir die verlof uitbetaal te word nie. Hy stel ook voor dat die seun gedurende naweke betrokke moet raak by die vulstasie; dis belangrike ondervinding wat later handig te pas gaan kom.

Onverwyld begin Coen om aanpassings te maak aan die vulstasie se boekhouprogram. Klaar daarmee, toets hy dit. Die program maak nou voorsiening vir 'n gebruikers-ID en wagwoord. Voorlopig het hy drie geskep. Een vir homself, een vir Neville se seun en een wat hy aan Lelane sal toeken. Die program wat die kontant wat gebank moet word, kontroleer, funksioneer nie meer soos tevore nie. Dit sal die korrekte bedrag toon wanneer die seun of Lelane dit gebruik, maar as hy aanteken met sy eie identifikasie werk dit anders.

Hy doen 'n berekening. Die totale omset is ongeveer R1 500 000 per maand. Daarvan reken hy is die grootste gedeelte kontant. Indien hy 75% van die tyd self die program hanteer, kan hy elke maand 'n lekker bedrag in sy eie sak steek. Toe Neville nog gelewe het, het hulle 10% van die omset in sy persoonlike rekening gebank. Niemand sal die deel wat hy gaan vat, mis nie. Inteendeel, dit sal lyk of die firma se posisie verbeter. Omdat hy weet Neville het versekering op die kredietgeriewe uitgeneem en die koopprys gevolglik afbetaal is, voel hy nie sleg oor wat hy doen nie. Hy het immers meer verantwoordelikhede en redeneer verder dat daar nog steeds genoeg sal oorbly om te voorsien in die vrou en die seun se behoeftes.

Dumesani se stem is krakerig toe hy antwoord: "I have answered that question already."

"Yes," sê die ondervraer en slaan met sy vuis op die tafel. "And you gave me three different answers on it."

"I have not. Can I have some water, please?"

"Only after you made a statement." Die speurder gooi water in 'n glas en maak of hy dit gaan aangee. In plaas daarvan drink hy dit self uit en lag.

Dumesani kan nie meer onthou hoeveel keer hy die vrae beantwoord het nie. Die speurders wissel mekaar af. Hulle het sy horlosie gevat, sy gordel en ook sy skoenveters.

"I am not going to say anything again before my attorney turns up."

"Does that mean you don't want the water?" Die speurder skink nog 'n glas water en plaas dit net buite Dumesani se bereik.

"Where is missis Fouché?"

"I don't know."

"Ek dog jy het gesê jy het haar by die busterminus gelos."

"That does not mean she is still there."

"O so. Dan kan jy Afrikaans verstaan!"

"I can, I said I cannot speak it."

Die speurder gluur weer vir hom.

"I'm thirsty."

"Then make a statement!"

Só hou dit ure lank aan. Een van die speurders steek 'n sigaret aan en gaan digby Dumesani staan. Sonder om te praat kyk hy vir hom. Hy blaas die rook in sy rigting uit en hou die sigaret uit. Toe Dumesani bewend daarna vat, ruk hy sy hand weg.

"Just one pull. Please."

Die speurder ignoreer hom en rook rustig verder. Hy kyk Dumesani stip in die oë.

"Hoekom het jy die slang vir hom gaan gee? Toe, praat!" skree hy skielik.

"Missis Fouché asked me to deliver the parcel," sê Dumesani met 'n heserige stem.

"Why does mister Stemmet know her as Susan Bekker?"

"I don't know."

"Jy lieg!"

Dumesani krimp ineen. "No, I don't lie," kom dit met moeite uit sy keel.

"Ek glo jou nie. Hou op lieg! Ephraim het jou al op Barberton met die boks gesien!"

Dumesani skud sy kop en bly stil.

"Toe, antwoord my!"

"I think she sometimes uses that name." Hy kyk smekend na die ondervraer. "Can I get some water now?"

"First a statement, else . . ."

"What do you want me to say?"

"Alles, Baba. Wie jou gevra het om die slang te kry en waar sy bly. Alles. Moet niks uitlaat nie. En wees versigtig. Moenie lieg nie!"

Dumesani huil toe hy weer praat. "Water. Then I will tell everything."

Hulle laat nog 'n man binnekom. Dumesani dikteer terwyl die speurder skryf.

Die man wat laaste ingekom het, stap nader.

"Mister Ntuli, I am a magistrate. Do you fully understand the contents of your statement?"

"Yes."

"Did you make the statement out of your own free will?"

Dit lyk of hy huiwer. Een van die speurders staan nader met 'n glas water. Dumesani kyk daarna. Die speurder drink die glas leeg.

"Yes, sir," antwoord Dumesani.

"Will you take an oath?"

"Yes."

"Please sign."

Die landdros stempel die verklaring net voor die prokureur binnekom. Die speurder lag. Hy wys die verklaring aan die prokureur. "Jou kliënt het intussen besluit om saam te werk."

"Mag ek alleen wees met hom?"

"Jy het 'n kwartier."

30

Met die tuinslang in een hand gooi Anja Oubaas se bal. Sy lag toe hy dwarsdeur 'n jong struik hardloop om dit te gaan haal en bal-in-die-bek stertswaaiend terugkom.

"Verlang jy ook na John?" praat sy met hom. Hy laat die bal op die grond val en stamp dit met sy snoet in haar rigting. Sy gooi dit weer. Hy gaan haal dit, laat dit voor haar voete val en blaf hard.

"Haai, bly stil! Jy raas!" Die brakkie begin onder haar vel inkruip.

Klaar tuin natgespuit, maak sy die posbus leeg en gaan in. Sy loop deur elke vertrek, kyk of die yskas aan is en of die vensters almal toe is. In die studeerkamer kan sy haar nuuskierigheid nie in toom hou nie en begin soek vir die lêer oor Sanet de Villiers. Sy wil net weer na die foto kyk. En die berig lees. Die eerste keer was sy so ontsteld dat sy skaars al die feite in die koerantberig kan onthou. Die verslag lê nie meer waar sy dit ná die aanval op John neergesit het nie. John moes dit seker gebêre het toe hulle sy klere kom haal het. Sy kry dit in die lessenaar se boonste laai, gaan sit en maak dit oop. Sanet se foto's is heelbo. Willem se volledige verslag lê direk onder die foto's. Sy is seker dit was nie laas in die verslag nie. Anja lees die handgeskrewe notas drie keer. Sy sit die verslag weer terug in die lessenaar, gaan haal haar handsak en sluit doelgerig die huis.

Terug by haar woonstel klap sy die deur agter haar toe en plak haarself op die bank neer. Hoe kon sy hom so verkeerd oordeel? Hy het doelbewus vir haar gelieg. En vir Willem. 'n Paar minute later staan sy op. Terwyl sy wag dat die koffie in die perkuleerder trek, stap sy heen en weer in die woonkamer. Sy sal hom nooit weer glo nie. Dit was alles die hele tyd net oor geld. Met 'n lang sug gooi sy haar beker vol en sak neer op 'n stoeltjie by die toonbank. Was sy ook net 'n maklike vangs omdat sy 'n ordentlike salaris verdien? As sy net geweet het wat om te doen.

Dis reeds donker toe Michelle Woensdagaand op Bloemfontein van die trein afklim. Buite die stasiegebou kyk sy in haar beursie. Die note daarin behoort genoeg te wees om 'n taxi lughawe toe neem. Sy sal 'n groot kans waag om direk daarheen te gaan, dink sy. Veral as daar nie daardie aand nog 'n vlug vandaar na Kaapstad is nie. Sy stap weer die gebou binne en vra by die navraetoonbank vir die lughawe se nommer en skakel dit. Die besprekingskantoor bevestig dat die eerste vlug Kaap toe laat die volgende middag is. Sy bespreek plek daarop as M. Aggenbach en besluit om die nag in die wagkamer op die stasie deur te bring.

Die volgende oggend verwyl sy haar tyd deur in winkels rond te dwaal voor sy teen eenuur besluit om die tog lughawe toe aan te durf. Sy betaal die taxibestuurder met die laaste note in haar handsak. Binne die gebou weet sy dat sy geen ander keuse het nie. Sy sal met haar bankkaart moet betaal. Indien die polisie dit monitor, kan hulle haar so opspoor.

"Why did you book as Aggenbach? This card belongs to Fouché," vra die klerk die vraag wat sy verwag het.

"I got married a week ago and am still waiting for my new card. They said it will be ready when I get back."

Sy stap vliegtuig toe. Renier is seker al bekommerd. Sy sal 'n pap battery en die gebrek aan 'n laaier as verskoning gebruik vir haar selfoon wat so lank af was.

Willem skeur die amptelike koevert oop en gaan sit by sy lessenaar. Sy gedagtes van Anja verdwyn saam met die letters voor sy oë. Die BK se lede is M. Fouché en N. Stemmet. Hy kyk na die ID-nommer. Voor hy dit kontroleer, weet hy dat hy reg het.

Sy selfoon lui. "Lotriet Speurdiens."

"Wat het jy gesê is daai Fouché-vroumens se naam?" hoor hy die ondersoekbeampte se stem.

"Dit moet telepatie wees, ek wou jou nou net bel. Haar naam is Michelle. Hoekom vra jy?"

"Ons het tussen meneer Stemmet se papiere 'n kwitansie gekry met die naam M. Fouché op. Geen datum of bedrag nie."

"Dis sy! Ek sweer dis sy! Luister bietjie hier." Willem vertel van die BK se oprigtingsakte wat sy vermoede dat die twee saamgewerk het, bevestig. Hy vertel ook dat hy aanvanklik geglo het sy is die een met die geld en Stemmet die handlanger, maar dat hy nou anders dink. "Het julle al iets van die nadoods gehoor?"

"Ja, dis hoekom ek begin soek het. Die coroner sê hy kon dit nie self gedoen het nie. Die hoek waarmee die koeël in is, is nie reg nie en daar is nie kruitmerke nie."

"Kon iemand julle al iets vertel?"

"Ja. Ons het almal ondervra. Die sekuriteitswag sê daar was 'n vrou met 'n bril, maar hy het nie 'n skoot gehoor nie."

"Dis sy! Exactly! Sy het in Nelspruit 'n bril gedra saam met 'n pruik. Kom ons ry, ek dink ek weet waar sy is."

"Stadig, Willem. Ons wag nog vir die fingerprints se uitslae."

"Fingerprints se gat! Julle experts kan my kleurfoto in-scan en modify. Dan vra jy die wag of hy haar herken."

"Goed. Sien jou môre."

"Nee, nóú. Ek kom."

"Dit sal nie help nie. Die ouens is af teen hierdie tyd."

Hy staan op en kry 'n dop. Die ore is so stadig as kan kom! Tien teen een sal hulle wag vir vingerafdrukke voor hulle haar ernstig begin soek. Miskien sal 'n bietjie pa-niek die ding doen. Hy het mos haar selfoon se nommer op Butch se foon gekry. Hy stuur die SMS van sy Schalk Jacobs-selfoon af.

In sy studeerkamer maak hy drukstukke in volkleur van die foto's wat hy van haar geneem het. Hy wip op en drafstap kar toe. Hy sal die polisie een voor wees. Met die drukstukke in sy hand, klop hy aan Anja se deur.

"Werk jy net in potlood, of kan jy kleur ook doen?" vra hy toe sy die deur oopmaak.

31

In die vliegtuig dink Michelle weer hoe sy gedurende die afgelope drie jaar haarself blootgestel het aan situasies wat haar vryheid kon bedreig. Vandat sy opdrag gegee het dat haar aandele verkoop moet word, het sy geglo sy is vry. Nou is dit net Neville se dood wat haar vryheid kan bedreig. Dit, en moontlik Giepie. Maar oor hom is sy nie te bekommerd nie. Hoe gouer sy egter Michelle Aggenbach word, hoe beter.

Terug by haar motor in Kaapstad skakel sy vir Renier op haar selfoon.

"Waar was jy?! Ek is siek van bekommernis. Jy moes al gister terug gewees het!"

"Ek het 'n probleem gehad, maar ek sal môre verduidelik. Nou moet ek net terug Hermanus toe. Ek is doodmoeg en wil net slaap."

Hy sug hoorbaar. "Wil jy nie maar liewer in die Kaap oorslaap nie? Dis reeds laat en ek sal nie wil hê jy moet nog so ver ry nie."

Hy sal aanhou as sy nee antwoord, weet Michelle. "Goed. Ek sien jou môre." Renier hoef nie te weet dat sy tog maar sal deurry Hermanus toe nie.

Sy het pas die foon neergesit toe dit weer biep van 'n

inkomende SMS. *Sanet, Neville Stemmet het nie self-moord gepleeg nie.*

Michelle staar geskok daarna. Sy voel duiselig en moet met haar hande op die motor se dak leun. Dis net Neville wat vir seker geweet het sy is Sanet en hy is dood. Dit voel of haar kop draai. Giepie! Hy het sy vermoedens ge-had. Maar sy naam sou op die skerm gewys het. En dit het nie. Sy kan nie dink wie dit kan wees nie. Al wat sy weet, is dat sy nou gesoek gaan word. Haar klere kleef aan haar lyf vas. As sy net kan bad, sal sy weer kan helder dink.

Sy kan reeds Hermanus se ligte sien toe sy van Butch onthou. Dit kan hy wees wat haar gewaarsku het. Maar waar kom hy aan Sanet? Hy ken haar net as Michelle.

Terug in haar kamer by die gastehuis draai sy die bad se kraan oop. Sy wag op die bad se rant vir die water om in te tap.

Hoekom sou Butch haar waarsku? Hy het uitdruklik gesê die speurder het 'n verkeerde adres gehad. Of het hy vir haar gelieg? Sy kry lus om te lag. Die hele situasie is absurd. As hy iets uitgevind het en nou wil probeer om haar af te pers, maak hy 'n fout. Sy het nie meer van die geld nie.

Skielik tref dit haar dat sy nie haar rekening sal kan be-taal nie. Sy sal ook nie weer haar bankkaart kan gebruik nie. Sy klim dadelik uit die bad en kontroleer weer die nommer waar die SMS vandaan kom.

No number staan in die selfoonvenstertjie. Dit was ook nie hy nie. Wie dan? Op die ingewing van die oomblik pak sy in en vertrek na Renier toe op Worcester.

Coen besoek mevrou Stemmet Vrydagoggend weer en vertel vir haar dat hy 'n plan kon uitwerk met die BK. Hy sal die kantoor verskuif na 'n perseel aangrensend aan die vulstasie en van daar af aanhou om kliënte te werf.

"Die makelaar het ingestem om die kliënte se sake te hanteer en 'n verwysingskommissie sal betaal. Ek weet nie of dit genoeg gaan wees nie. Met my agtergrond in rekenaars het ek gewonder of ons nie die dienste moet uitbrei en rekenaartoerusting ook verkoop nie. U weet, die IT-bedryf brei net uit. Sodoende kan ons die kantoor se uitgawes dek en dit sal help dat die firma nie tot niet gaan nie."

Met haar instemming huur hy sommer vinnig 'n kantoor in die winkelsentrum reg langs die vulstasie en vra vir Duart om dit gedurende die naweek met meublement uit die Sandton-kantoor uit te rus.

Onbewus daarvan dat hy nog steeds dopgehou word, doen Coen daagliks by die gholfklub aan. Elke keer gebruik hy dieselfde roetine. Hy kyk of die aantrekkamer leeg is, haal note uit en sit dit in sy skouersak. Daarna gaan hy boontoe vir 'n paar drankies. Sou daar iemand in die kleedkamer wees, ruil hy die aktiwiteite net om. Sodra hy klaar is, ry hy na die rekenaarwinkel toe en plaas die note in 'n leë rekenaarkas.

Michelle kan agterkom dat Renier en Louise gefrustreerd is omdat sy die hele naweek binnenshuis spandeer. Dis met moeite dat sy verskonings uitdink om nie dorp toe te gaan nie. Die ware rede – dat sy nie sonder kontant 'n ander woonplek kan soek nie – verswyg sy. Ook dat sy bang is iemand spoor haar via Louise se skool op, sê sy nie. Sy het die vorige dag 'n groot bedrag elektronies oorgeplaas na Renier se bankrekening toe en verduidelik dat sy 'n probleem het met 'n kaart wat verval het.

Met Renier se tjek in haar hand gaan Michelle die Maandagoggend bank toe. Sy wissel dit en kry 'n rondawel by die nabygeleë warmbron. Sy glimlag selfvoldaan. Niemand gaan haar vang nie. Dit is net 'n kwessie van tyd

225

voordat Renier haar sal vra om te trou. Sy weet hoe om haar kaarte te speel. Daarna sal Michelle Fouché en Sanet de Villiers finaal dood wees.

Die vorige aand het sy en Renier lank gesels. Sy het toe reeds gespot dat hulle sommer alles moet los en van voor af nuut begin. Die drie van hulle. Renier het gelag en kamtig gekeer, maar Michelle kon sien dat hy genoeg van haar hou om daaroor te dink.

Later die middag gaan sy weer dorp toe en koop kaartjies vir die drie van hulle Mauritius toe. Nog net 'n week.

Teen Sondag het Willem geweet waar en hoe om Michelle te vang. Hy het Ephraim gebel, hulle planne agtermekaar gekry en val in die pad geval Worcester toe. Nou maak hy en Ephraim beurte om die skool se ingang dop te hou terwyl die ander die dorp se gastehuise stelselmatig besoek met aangepaste foto's van Michelle. Willem dink Anja het goeie werk gedoen. Haar tekenvernuf het dit vir hom moontlik gemaak om Michelle se gesig met kombinasies van ligte en donker hare, asook verskillende kapsels vir die gatehuise se personeel en eienaars te kan wys. Hy en Ephraim het elkeen twee stelle. Een waar sy 'n bril dra en die ander daarsonder. Ook elke motor met 'n vrou in wat die skoolperseel binnegaan, word deeglik deurgekyk.

Coen is gedurende Dinsdag meer in die rekenaarwinkel as by die vulstasie. Lelane verwonder haar aan die vaardigheid waarmee hy rekenaars herbou deur gebruiktes eers volledig af te takel en die beste onderdele uit te soek. Hiermee saam gebruik hy die nodige nuwe onderdele en monteer dit om sodoende goeie, maar goedkoop modelle te kan verkoop. Sy glo dat hy wel die leë rekenaaromhulsels, wat sy eenkant in 'n stoorruimte moet bêre, gaan gebruik.

Die vorige dag moes sy saam met een van die vulstasie se werkers die aankope doen. Hulle het 'n lys gekry met volledige besonderhede, insluitende die naam van die persoon of plek waar die artikels aangekoop moet word. Voor die einde van die dag was daar 'n klompie rekenaars en onderdele in voorraad. Nou gee Coen haar eers opleiding voordat hulle begin handel dryf. Sy weet nie veel van verkope nie, maar is dankbaar dat sy nie haar werk verloor het nie en ook nie verlof moes neem nie. Haar geesdrif is duidelik sigbaar. Sy drink letterlik alle inligting in. Coen verduidelik aan haar dat hy meeste van die tyd daar sal wees, maar dat sy die winkel moet beheer wanneer hy uit is. Toe sy hoor dat sy ook in Swaziland aflewerings sal moet doen, is sy behoorlik opgewonde en kan kwalik vinnig genoeg na haar sin die onderdele op rakke uitpak en indekseer op die rekenaar. As haar vriende dit hoor, sal hulle groen van jaloesie wees!

Coen se tweede besoek aan die klub in een dag veroorsaak dat die speurder wat hom moet dophou sy senior laat kom. Hy vertel vir hom hoe Coen die dag voor Neville se dood 'n rekenaar na sy kantoor geneem en weer daarmee uitgekom het. Hy het dit daarna gholfklub toe gevat. Van toe af kom hy baie by die klub. Hy sê dat Coen bykans elke dag 'n rondte vir almal in die kroeg koop. Volgens die kroegman het hy in die verlede ook daar gekom, maar nie so baie nie. Hy het ook nie in die verlede vir almal se drankies betaal nie. Die manne spot al vreeslik oor sy skielike vrygewigheid. Wat nog meer onverstaanbaar is, is dat Coen nooit die boonste toilet gebruik nie, maar altyd afgaan na onder. Die skoonmaker in die manskleedkamer het vertel dat, van waar hy sit, hy kan sien dat Coen gedurig by 'n sluitkassie doenig is, maar hy kon nie uitwys presies by watter een nie. Hy het 'n goeie idee watter een dit is, maar dit kan enige van drie wees. Coen maak die sluitkassie net oop wanneer daar niemand anders in die kleedkamer is nie. Volgens die klubbestuur is Coen nie 'n lid nie en kan hy gevolglik nie 'n sluitkassie van sy eie hê nie. Daar moet 'n verband wees tussen die manskleedkamer en Coen se gereelde besoeke aan die klub. Hy vermoed dat Coen, wat intussen ook 'n rekenaarwinkel in die kompleks langs die motorhawe bestuur, die rekenaar in die sluitkassie hou. Dit, saam met die geld . . .

Teen die tyd dat sy senior na als geluister het, ry hy dadelik klub toe om met die bestuurder te gesels.

32

Teen Woensdag moet Willem homself vermaan om nie moedeloos te raak nie. Sy kontak by die selfoonmaatskappy sê hulle vang Michelle se seine in die dorp op, maar hy kry geen spoor van haar nie. Hy weet ook sy bel die skoolhoof daagliks, maar tot nog toe wou hy nie met hom kontak maak nie. Eerstens omdat hy weet dat daar geen aanduiding is dat hulle mekaar sien nie, en tweedens omdat hy bang is dat sy daarvan sal hoor en padgee. Toe Ephraim daar aankom met die nuus dat hulle Sanet se vingerafdrukke op die pistool gekry het en 'n nuusberig gaan laat uitsaai, besluit hy dat hy nie langer kan wag nie. Hy skakel die motor aan en ry die skoolterrein binne.

Hy kry die hoof se kantoor maklik.

"Meneer Aggenbach, ek is Willem Lotriet, 'n privaatspeurder. Ek verstaan u ken vir Michelle Fouché." Hy sien die huiwering aan sy houding. "Jy hoef nie bang te wees nie. Dis nie 'n misdaad om iemand te ken nie."

"Ja, ek ken haar, maar hoekom vra u?"

"Meneer, ek moet dringend met haar kontak maak en ek hoop jy sal my kan sê waar sy is."

"As ek mag vra, hoekom soek jy haar by my?"

"Omdat ek weet sy het gister telefonies met jou gepraat." Hy merk die verandering in Renier se houding dadelik op. Hy klink ook sommer driftig toe hy antwoord.

"Meneer, ek hoop nie jy luister haar gesprekke af nie. Dis onwettig!"

"Nee, ek luister nie in nie, maar ek weet watter nommers sy skakel. Dis al."

"En hoe weet jy dit nogal?"

"Meneer, ek het gesê ek is 'n speurder. Jy verwag tog seker nie ek gaan jou vertel hoe ek dit weet nie." Hy kan sien Renier dink en wonder of hy probeer tyd opmaak. "Moet ek aanvaar jou stilswye is 'n bevestiging?"

"Ja. Sy het my gebel."

"Jy weet dus waar sy is?"

Renier antwoord nie dadelik nie. "Ja."

"Meneer. Dis dringend. Ek moet weet waar sy is. Asseblief, sê my."

"Ek weet nie of sy daarvan sal hou nie. Kan ek haar vra om jou te kontak?"

"Meneer . . ."

"Renier."

"Renier, ek dink nie sy sal dit doen nie. Sy word gesoek vir moord."

Skok en verbasing wys op sy gesig. "Ek glo dit nie! Nie Michelle nie."

"Ek promise jou. Ek lieg nie."

Willem begin vertel. Hy sien hoe Renier ineenkrimp, maar praat onophoudelik.

"Hoe weet ek dis nie 'n storie nie?" vra Renier. Die uitdrukking van ongeloof is steeds in sy oë.

"Kyk vanaand na die TV-nuus. Die amptelike berig sal daarin uitgesaai word."

Renier bly lank stil voor hy antwoord: "Kan ek tyd kry om te dink?"

Willem weet dadelik dat Renier haar gaan bel. "Renier,

230

ek sal jou tyd gee, maar wees versigtig. As jy dit met haar bespreek en sy hardloop weg, kan dit as regsverydeling gesien word. Ek wil jou ook waarsku dat jy maklik in so 'n geval as medepligtige gesien kan word."

"Waar kan ek jou in die hande kry?"

"Ek en my assistent wag buite in die motor."

Sy pa kry hom langs een van die lyndrade. John hou sy vinger voor sy mond en wys na 'n groot koedoebul wat rustig vreet aan 'n boom se blare.

"Ry saam, die fanbelt by die boorgat in die agterste kamp is af."

John klim in en die bakkie dreun voort. Af en toe gryp hy na die seer ribbes.

John se pa stel aan die spanning van die nuwe dryfband en kyk op. "Het jy al gedink wat jy wil doen? Ek meen, gaan jy in die stad bly, of wil jy plaas toe kom?"

John weet nie wat om te antwoord nie. Die plaas is een van die hoofredes hoekom hy Willem na Sanet laat soek het. Noudat hy die geleentheid het om te kies, kan hy nie besluit nie.

"Dink Pa nie twee boere op dieselfde grond gaan maklik vassit nie?"

Sy pa stel weer aan die dryfband se speling. "Dit sal seker soms gebeur," sê hy en tik-tik met die skuifsleutel teen die band. "Maar dis ook nie die einde van die wêreld nie. Mens sorteer dit mos maklik uit." Hy buk af, was sy hande in die krip en kry die watersak wat aan die bakkie se buffer hang.

"Pa, ek het 'n ander voorstel." Hy sien die vraende uitdrukking op sy pa se gesig en gaan voort. "As my dinge reg uitwerk, sal ek oor 'n maand of twee die grond by Pa kan koop. Ons betaal die verband af en koop vir jou en Ma 'n aftreehuis in Thaba."

231

"Nè! En waar gaan jy nogal soveel geld kry?"

"My besigheid doen goed."

Sy pa skud sy kop terwyl die ongeloof in sy oë sigbaar is. "Ek het nog nooit die indruk gekry dat dit só goed gaan nie."

"Ek sê mos: as alles uitwerk."

"Mmm, ons praat weer as jy die geld het. Kom ons gaan soek tee."

Toe hulle die werf binnery, vra sy pa: "Sê my, wanneer kom sy weer?"

"Saterdag, Pa." John is bly sy pa het die onderwerp verander.

Ongeveer 'n uur later staan Renier Aggenbach langs Willem se kar.

"Ek het besluit om saam te werk. As sy onskuldig is, sal dit wel uitkom. In so 'n geval skuld jy haar 'n verskoning."

"Dankie," antwoord Willem. "Jy doen die regte ding."

"Net een versoek. Ek wil daar wees om haar by te staan wanneer jy haar kom haal. Ek belowe om vooraf niks te sê nie."

Willem knik. Hy maak notas oor die roete terwyl Renier beduie.

Daar is twee speurders by Willem in die motor toe hulle langs Renier se kar by Goudini stilhou.

Sy maak self die deur oop.

"Is u mevrou Fouché, of is u dalk vandag Susan Bekker?" vra Willem. Michelle deins sienbaar terug. Sy kyk om Willem en die speurders na waar Renier staan.

"Nee, ek is mevrou Aggenbach."

"Kan u dit bewys?"

"Skat, sê vir hulle wie ek is," sê sy vir Renier.

Voor hy kan antwoord, praat Willem weer, dié keer met die speurder langs hom. "Dis sy."

"Kan ek u ID sien, asseblief?" vra die speurder.

Renier keer. "Wag so bietjie. Wie gee jou die reg om Michelle sommer so oop en bloot in die openbaar te ondervra? Jy kan dit seker binne doen?"

Die speurder kyk na Renier, haal sy identifikasie uit en wys dit. "Meneer, ek weet nie wie jy is nie, maar ek soek na mevrou Michelle Fouché, alias Susan Bekker." Hy kyk dadelik weer in Michelle se rigting. "U ID, asseblief."

Michelle se hande bewe toe sy haar handsak oopmaak. Terwyl sy in haar handsak daarna soek en maak of sy nie haar ID-boekie kan kry nie, val 'n koevert op die grond. Willem tel dit op en sien John se naam en adres.

Michelle trek haar skouers op en kyk weer vir Renier.

"Mevrou, moenie vir tyd speel nie. Is u Michelle Fouché? Ja of nee."

Sy laat haar kop sak en begin snik.

"Ja, ek is."

"Mevrou Fouché, ek arresteer u op aanklag van moord op meneer Neville Stemmet. U het die reg om te swyg. Onthou asseblief dat alles wat u sê as getuienis teen u gebruik kan word."

Renier tree tussen hulle in. "Meneer, ek dink u maak 'n fout, Mevrou Fouché sou nooit so iets doen nie."

Die speurder stoot hom opsy. "Asseblief, meneer, moenie dit moeilik probeer maak nie. Ons het bewyse." Hy kyk vir Michelle. "Gaan u uit vrye wil saamkom?"

Michelle gee haar handsak vir Renier. "Hou dit vir my. Ek is nou-nou terug."

Willem, wat nog steeds met die koevert in sy hand staan, wonder wat hy moet doen en hoekom sy nog nie daarvoor gevra het nie. Hy hou die koevert na haar uit.

233

"Mevrou, dis joune. Dit het geval. Kan ek dit vir jou pos?"

Sy knik. Willem kyk haar agterna terwyl sy saam met die speurders wegstap. Hy sê vir Renier: "Ek is jammer."

Renier beduie met sy hand na die binnekant van die chalet.

"Kom sit. Asseblief."

Willem gee hom kans om eerste te praat.

"Wat dink jy gaan met haar gebeur?"

"Ek dink nie die kwessie is of sy gaan sit nie, maar hoe lank."

"En borgtog?"

Willem wens hy het 'n brandewyn gehad. "Ek weet nie, maar ek sou sê not a chance." Hy praat weer toe die stilte ongemaklik raak. "Daar's 'n kind ook, nè?"

"Ja," antwoord Renier. "Ek weet nie wat om te doen nie. Ek kan haar nie so los nie. Sy het nie 'n pa nie. Of altans, ek weet nie wie die pa is nie."

"Ek dink ek weet wie hy is. Dis waar alles begin het," antwoord Willem en wys die koevert vir Renier. "Ek sal met hom gaan praat en terugkom na jou toe."

Op Koedoeskop vertel John se pa hom hoe goed die stoet aangaan. Sy ma kan nie uitgepraat raak oor hoe beïndruk sy met Anja is nie.

"Ja, vrou," sê John se pa, "sy is so anders as daardie ander meisiekind. Sy was 'n dêm fortuinsoeker."

John wip regop en gryp na sy seer arm. Hy kyk beskuldigend na sy pa. "Dink Pa nie dit was ongevraagd nie?"

"Die dag toe ons hoor sy het verdwyn, het ek gesweer ek sal nie weer 'n goeie woord oor haar sê nie."

John neem nie weer aan die gesprek deel nie. Sy ouers gesels nog so rukkie en raak ook stil.

Met sy gesonde hand antwoord John sy foon. "Willem!

Ek het nie gedink ons sal so gou weer met mekaar praat nie." Hy luister na wat Willem te sê het. "Hoe weet jy dit?" Hy luister weer. "Dis nie wat ek jou gevra het om te doen nie! Ek het gesê . . ." Hy knip homself kort toe hy besef sy ouers hoor alles.

"John, onthou net. Ek werk nie meer vir jou nie, maar interessant genoeg, daar is nog geld missing en ek dink ek weet waar dit is."

"Dit gaan my nie aan nie."

Sy pa kyk hom vraend aan.

"Hulle het Sanet vanoggend gevang. Sy het haar mede-pligtige van destyds doodgeskiet."

33

Die Saterdagoggend ná Michelle se inhegtenisneming is die speurders gelukkig. Coen daag kort ná oopmaaktyd by die klub op en maak 'n sluitkassie oop. Hy haal sy skouersak af en sit dit in die sluitkassie. Die wag, wat deur die speurders spesifiek daar geplaas is, kon nie presies sien wat hy doen nie, maar sê hy het beslis gesukkel om die skouersak te dra toe hy daar in is.

Hulle het geen probleme om die hangslot oop te maak nie. Die speurder fluit toe hy die inhoud sien.

Op Koedoeskop sit John soos 'n laerskoolkind wat op verjaardagmaatjies wag op die trappie van die voorstoep. Hy hou die pad dop en kyk gereeld op sy horlosie. Nie eers toe sy pa hom vra om saam te ry, staan hy op nie.

"Ek wag vir Anja, Pa."

Hy lag vir John. "Ek het nie gedink jy het die skoot só hoog deur nie."

Ná 'n ruk kyk John weer op sy horlosie. Dis nog omtrent vyf tot tien minute voor sy daar kan wees. Dié keer staan hy op, loop na agter en roep een van die plaaswerkers nader. Hy gee opdrag dat 'n houstapel gepak word en kyk hoe hulle pak om seker te maak die houtstapel is groot genoeg na sy smaak. Vanaand wil hy vir Anja wys hoe lyk 'n Bosveldvuur.

Die naderende dreuning laat hom terugstap om die huis. Hy wuif met sy gesonde arm en beduie waar sy in 'n skadukol kan stilhou. Opgewek stap hy nader. Toe sy haar wang vir sy soen draai, weet hy daar is fout.

"Ek hoop jy sal verstaan, maar ek is haastig. Ek moet terug om vir iemand in te staan vanaand. Kan ons jou tasse kry?" Anja het begin aanstap huis toe.

John voel afgehaal. Hy wou graag hê dat sy saam met hom en sy ouers kuier. "Ek het 'n vuur laat aanpak. Kan jy nie iets reël nie?"

Anja glimlag stram. "Jammer, John, maar ek kan regtig nie. Het jy al gepak?"

"Nee, ek het gedog jy sal oorbly."

"Kom, ek sal jou help."

Die rit Sandton toe raak vir John ondraaglik. Hy probeer gesels, maar Anja neem nie veel aan die gesprek deel nie. Sy luister hoe hy vertel van die verwikkelinge tussen hom en sy pa en maak net hier en daar 'n opmerking. Hulle is reeds aan die buitewyke van die stad toe sy begin praat.

"John, sê my eerlik: presies hoekom het jy na haar laat soek?"

So dan is dit hoekom sy so omgekrap is. Het sy dalk gekrap waar sy nie veronderstel was nie, of is dit maar nog dieselfde ding wat nog al die tyd pla? Hy hoop dis laasgenoemde. Daarmee kan hy werk.

"Ek het jou mos reeds alles vertel en my redes gegee. Wat meer kan ek sê?" Hy trek sy gesonde skouer op en kyk na haar terwyl sy op die pad fokus. Dit lyk nie vir hom of sy tevrede is met sy antwoord nie. Hy besluit om nog een poging aan te wend om haar goedgesindheid te wen.

"Ek weet ek moes jou vroeër van alles vertel het, maar

vandag voel ek gelukkig. My pa is tevrede en die hele ding lê nou agter my. Dit voel sommer of 'n berg van my afgerol het. Daar is net een ding wat my nog pla. My verlede. Ek kan dit nie verander nie, Anja."

Sy kyk vlugtig na John. "Jy't seker reg, maar ek voel ek het tyd nodig om te dink."

Hy probeer haar nie eers ompraat nie. Wat kan hy meer sê? Hulle ry in stilte tot by sy huis.

Toe Anja hom wil help uitpak, keer hy. "Ek sal regkom."

Anja moet 'n paar keer aan die knop in haar keel sluk toe sy wegry.

Coen, wat die volgende dag 'n aflewering in Swaziland wil maak, doen ouder gewoonte aan by die klub. Toe hy sien daar is mense in die kleedkamer, gaan hy eers na bo vir sy gebruiklike dop. Hy drink heelwat en praat baie. Vandat hy baie daar kom, het hy en die kroegman goeie vriende geword.

"Coen," sê die kroegman, "hier is ouens wat vrae oor jou vra."

"Wie vra wat oor my?" wil hy met 'n effense sleeptong weet.

"Hulle vra hoe jy dit kan bekostig om vir almal dop te koop. Hoe baie jy hier kom en hoeveel jy altyd hier gekom het. Allerhande goed."

"Het jy enige idee wie dit is wat al hierdie vrae vra?" vis Coen uit.

"Man, ek is nie seker nie, maar een van die kelners vertel vandag dat die skoonmaker in die mans se cloak room nou met verlof is en dat die een wat by hom oorgevat het vir die speurders werk."

"Bliksem," sê Coen. "Dit kan lol."

"Hoe meen jy nou?"

238

"Daar is iets daar binne wat ek moet uitkry."

"Soos wat?"

Coen lyk bekommerd. "Dis net iets wat ek nie wil hê ander mense moet sien nie."

"Dis nie dalk iets onwettigs nie?"

"Nee, man, dis net iets wat ek nie wil hê my vrou van moet weet nie. Miskien moet ek dit maar garage toe vat."

"Nee hel man, jy kan mos nie jou porn hier wegsteek nie!" Die barman lag.

Coen drink sy drankie, bestel nog een en praat weer. Dit klink of hy reeds te veel gedrink het. "Sluit hulle die plek in die nag?"

"Ja."

Coen kom regop, leun oor die toonbank en fluister: "Jy't nie dalk 'n sleutel wat ek kan leen nie?"

Die barman lag weer. "Ag nee hel, man, Coen. Wil jy nou al die goed hier kom kyk?" Toe hy sien Coen is ernsig, sê hy: "Jong, ek kan in die moeilikheid kom."

Coen haal 'n honderdrandnoot uit sy sak. "Gee my net die nommer."

Terug by die vulstasie skakel Coen sy vrou. Hy klink kortaf. "Ek moet laat werk. Bêre asseblief vir my kos."

"Is daar fout?"

"Nee, net baie werk. Gee net kans, een van die dae is alles weer soos voorheen. Hierdie job is my kans om dinge reg te maak."

Hy loop oor na die rekenaarwinkel en werk aan gebruikte rekenaars. Een van die leës los hy oop om die note in te pak. Net ná nege-uur die aand stap hy terug vulstasie toe. Dit lyk of die drank uitgewerk is. Hy roep een van die pompjoggies, gee vir hom die afleweringsvoertuig se sleutels en sê hy moet dit deurtrek tot in die werkswinkel. Hy gebruik die binnedeur om die werkswinkel in te gaan. Toe die voertuig ook daar is, klim hy agter in en sê die bestuurder aan om te ry, hy sal die pad beduie.

John is verbaas om Willem voor sy deur te sien staan. Hy het gehoop dis Anja wat van besluit verander en kom kuier het. "Willem, wat maak jy hier?"

"Ek het interessante feite raakgeloop wat jou sal interesseer." Hy sien John frons en weet hy sal sy aanslag moet verander. "Verder het ek gedink jy sal wil weet hoe ek Sanet vasgetrek het."

"Kom in."

Willem vertel in detail hoe hy Michelle vasgetrek het. Hy vertel van sy vermoede dat Sanet haar suster, Michelle, se naam aangeneem het. Hoe hy die drade inmekaargesteek en haar uiteindelik op Worcester opgespoor het. Deurentyd hou hy John dop, maar rep nie 'n woord oor Louise nie. Dit val hom op dat elke keer dat hy oor die geld praat John opnuut lyk of hy meer belangstelling toon.

"Ek weet waar die res van die geld is. Hoeveel daarvan oor is, kan ek nie sê nie, maar dit moet genoeg wees dat sy 'n moord daaroor gepleeg het." Hy sien weer John se oë opflikker.

"Dink jy jy sal dit kry?"

Willem is nou seker John het na Sanet laat soek vir die geld. "Ja, maar ek weet nie van die polisie nie. Hulle het my nou gevra om my aan die saak te onttrek." Hy maak 'n gebaar met sy hand. "Maar as jy wil, kan ek kyk wat ek kan doen." Hy sien John huiwer.

"Polisie, sê jy." John trek sy gesig dat fyn plooitjies om sy oë wys. "Nee wat, los dit. Daarvoor sien ek nie kans nie."

Willem maak sy aktetas oop en haal die koevert uit. Dat hy presies weet wat daarin staan, wil hy nie laat blyk nie.

240

"John, sy het ook díé vir my gegee en gevra dit moet by jou uitkom." Hy gee die brief aan en sien John weet nie wat om daarmee te maak nie. "Shit, hoe dom van my. Met jou arm en als . . . laat ek dit vir jou oopskeur."

John frons terwyl hy lees.

"Dit kan nie wees nie." Hy klink effens hees.

"John, ek het uitgevind sy het in kind wat op Worcester skoolgaan. Jammer dat ek my neus in jou sake gedruk het, maar ek weet ook dat jou naam op haar geboortsertifikaat as pa aangedui word. Verder was Sanet en die skoolhoof redelik ernstig betrokke voor sy gevang is en hy sit nou in 'n tight spot. Hy sal pleegskap oor die kind neem, maar wettiglik kan hy haar nie vat nie. Dis net jy wat iets kan doen, anders gaan hulle haar in 'n weeshuis sit."

"Ek weet nie. Dis . . . dis vinnig. Fok, Anja sal nie die kind aanvaar nie, ek weet."

"Dis jou call. Wat ek jou nog kan sê, is dat jy nie nodig sal hê om met jou eie geld vir haar te sorg nie. Die polisie kan haar nie met die geroofde geld verbind nie. Gevolglik kan hulle nie hieraan raak nie." Hy gee nog 'n koevert vir John. "Dis afskrifte van haar bankstate."

John kyk daarna en sien die getekende volmagvorm. "Ek sal haar vat."

"Ek het so gedink."

Coen laat hom nie direk gholfklub toe neem nie. Ná 'n ompad draai hulle in by 'n pad wat aan die noordekant van die klub uitkom. Hy weet daar is 'n hek wat altyd oopstaan en slegs deur die werkers van die klub gebruik word. Hy laat die bestuurder parkeer en klim uit.

"Simon, luister nou mooi," fluister hy. "Ons gaan 'n computer daar binne haal. Jy moet hom dadelik gaan af-laai in die shop, ek sal hom môre daar kry. As iemand my soek, sê ek het huis toe gestap. En ons hou dit stil, hoor."

"Ja, meneer."

Hy wink vir Simon om te volg en stap te voet die vierhonderd meter na die klubhuis. Dit is donker, maar die klub se buiteligte is aan. Kort-kort gaan hy staan om te bespied. Seker dat dit veilig is, stap hy verder. Met die klubhuis in sig, gaan hulle weer staan. Sy oë soek vir 'n wag. Hy haal sy selfoon uit en skakel.

"Shorty, is julle reg by die hoofhek?" vra Coen toe hy die pompjoggie hoor antwoord.

"Ja, meneer."

"Goed. Julle kan maar die fight begin."

Sy glimlag is breed toe hy die wag om die gebou sien hardloop.

Die sleutel sluit die slot maklik oop. Sonder om die lig aan te skakel, beweeg hulle tot by die sluitkassies. Coen haal sy bos sleutels uit en maak seker dat hy die regte sleutel het voordat hy sê: "Simon, match."

In die lig van die vuurhoutjie maak hy die sluitkassie oop en haal die rekenaarkas uit. Simon vat dit dadelik en kies koers bakkie toe. Coen laat die sluitkassie oop en gaan uit. Hy doen nie moeite om die kleedkamer weer te sluit nie en loop oor die gholfbaan na 'n plek waar hy weet die draad stukkend is. 'n Ent verder vang hy 'n taxi.

Die taxi laai Coen naby die vulstasie af. Dis heel toevallig dat die speurder hom deur een van die donker kolle sien stap. Eers toe hy die rekenaarwinkel oopsluit, herken die speurder hom. Hy haal sy tweerigtingradio uit.

Toe die versterkings opdaag, is die speurder seker dat Coen nog in die winkel is. Twee neem stelling in aan weerskante van die deur. Die derde druk daaraan en voel dis gesluit. Hy klop. Toe Coen oopmaak, flits die paniek net vir 'n oomblik oor sy gesig.

"Meneer Swarts, ek is Walter Fourie, van die speurafdeling. Gee u om as ons inkom? Ons wil u 'n paar vrae vra."

"Natuurlik nie."

"Dan sal u seker ook nie omgee dat ons so bietjie rond-kyk nie?"

"Daarvoor sal jy ongelukkig eers jou lasbrief moet wys."

"Meneer," antwoord die speurder en wys na sy kolle-gas, "dis nie 'n probleem nie. Ons is drie hier. Een sal gou 'n lasbrief gaan kry terwyl die ander twee seker maak dat niks of niemand die perseel verlaat nie. As jy iets het om weg te steek, stel jy net jou probleem uit. Die keuse is joune."

"Ek wil eers met my prokureur praat." Coen druk die deur in die speurder se gesig toe en haal dadelik sy sel-foon uit.

"Ek het jou dringend nodig. Die polisie wil my per-seel deursoek." Hy luister na die antwoord aan die ander kant voor hy afsluit. "Goed, ek sal probeer om vir tyd te speel."

Coen maak die deur op 'n skrefie oop en roep die speur-der nader. "Meneer," sê hy, "die prokureur sê dis in orde. Ons moet net wag tot hy opdaag. Wees net 'n bietjie ge-duldig, hy is al op pad."

Coen sluit die deur en maak dit eers weer oop toe sy prokureur daar opdaag. Hy skets die toedrag van sake vinnig vir hom voor hy die speurders toelaat om in te kom.

Sy prokureur praat eenkant met hom terwyl die speur-ders soek. Toe die speurders hulle roep, is dit die pro-kureur wat die woord voer.

"Het julle gevind waarna julle gesoek het, menere?"

Die speurder wys die note in twee van die rekenaars uit. "Ons vermoed dat hierdie gesteelde geld is."

"Jy sê 'vermoed', jy is dus nie seker nie," sê-vra die prokureur vermakerig.

"Korrek."

"Sover ek weet, is dit nie 'n misdryf om kontant in jou besit te hê nie. As julle nie bo alle twyfel kan bewys dat dit gesteel is nie en enige stappe neem, gaan my kliënt 'n regsaksie instel."

Die speurder se volgende vraag is aan wie die geld behoort.

"Dit behoort aan wyle meneer Neville Stemmet," antwoord Coen. "Hy het my gevra om dit vir hom in bewaring te hou. Ek mag dit ook in die familiebesigheid aanwend."

"Nou hoekom steek jy dit binne-in ou rekenaars weg?"

"Dis waarin ek dit van meneer Stemmet ontvang het."

"Kan jy dit bewys?"

Coen kyk vir sy prokureur en antwoord toe hy die instemmende knik sien. "Nee, net ek en meneer Stemmet was teenwoordig toe hy die opdrag aan my gegee het om dit te neem en soos ek reeds gesê het, hy is intussen oorlede."

"En die geld wat jy in die sluitkassie by die gholfklub het?"

"Dit was net tydelik. Ek het dit vandag daar gaan haal."

Die speurder klink ferm toe hy sê: "Ek dink jy vertel 'n storie. Miskien ook nie eers die hele storie nie. Kom asseblief saam met ons."

In hierdie stadium praat die prokureur weer. "Gee my nog vyf minute saam met my kliënt."

Nadat hulle 'n kort rukkie gesels het, praat die prokureur weer met die speurders.

"Menere, ek dink nie julle kan dit van my kliënt verwag nie." Hy buk af, neem drie van die note en hou dit

244

uit na hulle voor hy vervolg: "Dè, hou dit vir my vas." Hy gee vir elkeen een.

Toe hulle dit vat, lag hy. "Nou is julle in besit van geld wat vermoedelik gesteel is. Let wel, vermoedelik. Maak dit julle skuldig aan 'n misdryf?"

Die speurders kyk na mekaar sonder om te antwoord. Die prokureur neem weer die note by hulle en plaas dit terug in die rekenaarkas. "My kliënt is bereid om saam te werk. Die enigste voorwaarde is dat julle hom, tot tyd en wyl die geld as gesteel bewys kan word, nie sal hinder nie. Op die oomblik is daar nog geen klagte aan hom gestel nie en ek glo dis in almal se belang dat dit so sal bly. Hy sal beskikbaar wees wanneer julle hom nodig het."

Die speurders praat onderlangs met mekaar en stem in.

"Julle kan van die reeksnommers noteer, julle ondersoek voltooi en met die nodige bewyse weer terugkom. Daarna praat ons verder."

Hulle neem die reeksnommers van tien note en versoek dat Coen dit sal behou tot die ondersoek afgehandel is. Daarna vertrek hulle.

"Wat maak ons nou?" vra Coen benoud.

"Eerstens, bêre daardie tien note apart. Hulle het niks van die ander gesê nie. As hulle enigiets kan bewys, sal ons skuldig pleit dat jy in besit was van daardie tien note. Niemand kan bewys jy het dit gesteel nie. En dít behoort dit nie 'n probleem te wees nie. Met die ander sal jy 'n plan moet maak. Veral as dit wel gesteel is."

34

Lelane ontspan op die terras net buite haar suite in die Royal Swazi Sun. Sy het vroeër die dag twee reke- naars deurgebring na die winkel in Swaziland. Vir haar ongerief kan sy reiskoste terugeis en die nag in die luukse hotel oorbly. Sy voel gelukkig. Coen is 'n goeie baas. Hy is nooit onredelik nie en sy hou daarvan om vir hom te werk. Sy kry 'n billike salaris en geniet 'n uitstappie soos hierdie. Sy mag selfs haar drankies terugeis. Hy's 'n bak ou, dink sy.

Lelani kyk verbaas op toe die telefoon in haar kamer lui. Dis ontvangs wat sê daar is 'n besoeker vir haar. Nie- mand behalwe Coen weet sy is daar nie. Voor sy na ont- vangs toe loop, kyk sy vir haarself in die spieël. Dalk is dit die oulike ou wat sy vroegoggend met ontbyt gesien het. As dit is, wil sy goed lyk. Maar onder in ontvangs is dit Coen wat vir haar wag.

"Ek moes kom seker maak jy is veilig. Dis 'n groot be- sending wat jy deurgebring het."

"Wat bedoel jy? Dis dan net twee PC's."

"Kan ons iewers gaan koffie drink of dalk iets eet? Ek is honger."

Tydens ete verduidelik Coen die werklike doel van sy

besoek. "Lelane," sê hy sag en probeer geheimsinnig klink, "ek het iemand hier nodig wat ek kan vertrou. Hierdie week het ek jou hier nodig. Jy weet hoe ek dinge gedoen wil hê. Dis krities. Hoe lyk dit, kan jy langer bly?"

"Sjoe! Dis vinnig, Coen." Sy bly stil om te dink. "Ek dink nie so nie. Ek het nie genoeg klere hier nie. Ek verstaan ook nie eintlik nie. Moet ek nog PC's optel of wat?"

Hy glimlag. "Klere is nie 'n probleem nie. Jy kan hier iets koop en terugeis. Ek sal betaal."

Sy krap met die vurk in haar kos en kyk na hom voor sy antwoord. "Wat moet ek vir jou doen?"

Hy begin vertel. Hoe langer hy praat, hoe meer verbaas lyk sy. Toe hy klaar is, herhaal hy sy vraag: "En, sien jy kans?" Hy bly 'n rukkie stil en gaan voort voor sy kan antwoord. "Dis net jy wat goed genoeg is."

Lelani kan amper nie haar ore glo nie. Hierdie job is regtig te goed om waar te wees. "Wat is daarin vir my?"

"Genoeg om nie weer oor klere bekommerd te wees nie. Kom, ons gaan praat besigheid waar dit meer privaat is," antwoord hy en staan op.

Later die aand, toe Coen sy tas uit die motor se bak haal, voel hy 'n hand op sy skouer en swaai om. Willem en Ephraim staan voor hom.

"Jy! Wat maak jy hier?"

"Ons het jou kom haal, meneer Swarts."

Coen lag. "En op watter klagte nogal?"

"Besit van gesteelde goedere," antwoord Willem en vat hom aan die arm. "Kom jy uit jou eie saam, of moet ek jou vat?"

"Nee!" Coen ruk homself los. "So maklik gaan dit nie wees nie. Julle het geen jurisduksie hier nie. Die speurders was klaar by my. Niemand kan bewys ek het iets gesteel nie." Hy lag hard. "Totsiens, meneer Lotriet."

247

"Ek sal vir jou wag. Jy kan nie vir ewig hier bly nie."

Coen lag weer. "En wat gaan jy as bewyse gebruik? Mmm?" Hy tel sy tas op en druk Willem eenkant toe. "Toe, loop nou."

Willem grinnik vir Coen en verskuif sy aandag na Ephraim.

"Kom ons boggerof. Ek het nie tyd om op amateurs te mors nie."

Willem slaan sy arm om Ephraim se skouers en begin aanstryk in die rigting van die Casino. "Goed gedoen, partner. Vanaand is die dop op my."

"Haai," roep Coen hom terug. "Hoe het jy my hier gekry?"

Willem loop terug, buk en haal iets uit die binnekant van Coen se buffer.

" 'n GPS en my selfoon. Om die waarheid te sê, ek was voor jou hier. Jy sal verbaas wees, mnr. Swarts, oor wat ek alles weet." Willem laat die sin in die lug hang en loop na waar Ephraim wag.

35

Coen maak eers die volgende oggend die eerste reke-naarkas oop. Hy kan nie help om te glimlag nie. Hy haal die laag koerantpapier uit en vryf aan die note met sy vingers. Daar is maklik R400 000 in. En in die twee kaste wat Lelani gebring het, is R300 000 elk! Hy het mooi vir Lelani verduidelik. Sy het die vorige aand laat die rekenaarkaste uit haar motortjie gaan haal en by sy kamer kom los. Hy was nie baie beïndruk dat sy dit in die motor gelos het nie, maar noudat sy weet wat aangaan, sal sy versigtiger wees. Hy haal 'n paar note uit. Dit sal hy later vir haar gee om klere te koop. Hy het haar vir die week hier nodig. Hy tel die pakkies toe hy die note in die kluis pak. Die opwinding klop in hom toe hy die tweede rekenaarkas oopmaak. Maar sy asem raak weg toe hy die laag koerantpapier afhaal.

"Shit! Dit kan nie wees nie!"

Hy bewe toe hy die volgende kas se skroewe uitdraai. Soos die ander een ook propvol koerantpapier.

"So 'n fokken bliksem!"

Hy gaan sit met sy hande in sy hare. Die geld in die kluis is genoeg om vir die plasie wat hy gekoop het te betaal, maar daar sal niks oorbly om van te leef nie. Hoe verduidelik hy dit vir sy vrou? Hy weet hy sal iets moet doen, maar wat? Coen dink vinnig, tel die telefoon op en skakel die hotel se nommer.

"Room 315, please." Hy hou lank aan voordat die skakelbord weer antwoord.

"There's no reply, sir."

"Can I leave a message?"

"You're going through to reception."

Coen wag tot ontvangs antwoord: "I want to leave a message for miss Gouws in room 315, please."

"Sorry, sir, that wouldn't be possible. She checked out this morning."

Terug in Suid-Afrika, besoek Willem weer die volgende dag sy vriende by die speurtak in Pretoria.

"Tjom, wil jy die ander ou ook vastrap?" vra Willem met 'n breë glimlag op sy gesig.

"Natuurlik. Maar hoe?"

"Ek het die laaste van die roofgeld opgespoor." Hy vertel verder en wag dat die speurders onder mekaar koukus.

"Willem, jou kommissie gaan groot wees. Net op die kontant alleen, R60 000. As dit misluk, is dit daarmee heen. Jy weet dit, of hoe?"

"Ek weet, maar as ons nie probeer nie, is daar nog 'n skuldige wat losloop. After all, julle gaan mos vir John heeltyd dophou."

Hulle koukus weer.

"Wire hom."

"Julle sal nie spyt wees nie."

Twee ure later klop Willem aan John se deur.

"Ek het vir jou iets gebring."

John kyk na die aktetas in Willem se hande. "Ek dog jy het my alles gegee wat jy het?"

"Dit was toe, maar ek het intussen die res van die geld opgespoor."

"Kom in, dat ons praat."

Toe hulle sit, sê Willem: "As ek die inligting aan die polisie oorhandig, kry ek 'n kommissie. Dis min, maar darem iets. Maar ek het gedink jy kan die geld mos beter gebruik as hulle. Ten minste het jy tien jaar gelede amper daaroor gesit."

"Ek kan dit nie vat nie, Willem. Die risiko is net te groot. Ek het dit ook nie meer nodig nie. Sanet se volmag beteken dat daar nooit gebrek sal wees nie."

"Ja, maar daai geld is vir die kind, John. Dink mooi." Willem weet dis die laaste kans om John te vang.

"Jammer, Willem."

"Wel, dan sê ek maar dankie vir die geleentheid om so 'n groot kommissie te cash. Jy moet maar sê as ek eendag iets vir jou kan doen."

36

"**D**ie saak teen Sanet de Villiers, alias Michelle Fou-
ché, wat onlangs weens die moord op meneer
Neville Stemmet, 'n besigheidsman van Johannesburg,
in hegtenis geneem is, het vandag twee nuwe wendings
geneem. Me. De Villiers word nou positief verbind met
die bankrowe waarvoor haar eertydse vriend, meneer
John Lombard, tien jaar gelede vasgekeer, maar weens 'n
gebrek aan getuienis, vrygespreek is. In 'n opspraakwek-
kende deurbraak, waarby die speurder Willem Lotriet,
weer eens betrokke was, het dit vandag aan die lig gekom
dat die oorledene, meneer Stemmet, in alle waarskynlik-
heid die brein agter die bankrowe van tien jaar gelede
was. Hy is klaarblyklik ná 'n stryery oor die oorblywen-
de gedeelte van die geroofde geld doodgeskiet. Meneer
Stemmet se seun was onlangs in die nuus toe hy in 'n
bank in Nelspruit deur 'n slang gepik is. Die verdagte wat
die slang afgelewer het, is kort daarna vasgetrek. Deur sy
verklaring is me. de Villiers met díe voorval verbind."

Willem skakel die TV af. Hy wonder of Anja dit gesien
het. Die laaste keer wat hy by haar ingebars het vir die
skets van Michelle, het sy nie lekker gelyk nie. Hy kon
sien iets pla haar, maar toe was daar nie tyd nie. Hy vang

homself dat hy deesdae aan haar dink eerder as aan Rentia. Miskien moet hy bel om te hoor of sy die berig gesien het. Willem sluk die laaste van sy brandewyn en Coke en tel sy Tazz se sleutels op. Hy kan net sowel ry.

Anja se ligte rok sit los om haar lyf toe sy die deur vir Willem oopmaak. Met die instapslag merk hy die halfvol koffiebeker langs die sketsboek op die toonbank.

"Ek het nie Coke nie," sê sy toe hy sit. "Maar ek hou brandewyn aan vir as hier mense kom. Kan ek vir jou ingooi, of sal jy 'n Irish coffee verkies?"

"As jy ys het, sal ek hom skoon vat. Anders drink ek saam met jou koffie."

Hy blaai deur die sketsboek terwyl sy die brandewyn gaan haal. Die skets van John is dof, dit lyk of sy uitgevee het.

"Daar is mense wat ek wil onthou presies soos hulle is en ander wat ek probeer vergeet, maar nie kan nie." Anja staan langs hom en gee die glas aan.

"Ek neem aan jy het die nuus gesien?"

"Ja."

"Ek is jammer, Anja, ek wou jou self vertel, maar dit was te besig die laaste tyd met die ondersoek en als."

"Dis oukei. Ek was in sy huis. Ek het die verslag gesien."

"En julle . . ." Willem weet nie hoe om uit te vra nie.

"Nee, daar is niks meer nie. Ek het vir tyd gevra om te dink. Maar nou wonder ek of daar ooit werklik iets tussen ons was. Ek was naïef."

Willem leun vorentoe en vat haar hand. Dit voel klein en sag in syne.

"Jy's beter af sonder hom. Hy's 'n bliksem! Jy weet hulle het hom in hegtenis geneem?"

Anja kyk op. "Was hy, is hy . . ."

"Nee, hulle kan nog steeds niks teen hom bewys van

253

die bankrowe nie. Maar . . ." Willem huiwer. Hy sal haar moet vertel van die kind. ". . . daar's 'n kind. John en Sanet het 'n dogter gehad. Sanet het 'n volmag geteken sodat John geld wat sy vir die kind in 'n trust gesit het, kan gebruik om haar te versorg." Hy snuif deur sy neus en blaas sy asem hard uit. "Hulle het hom gevang toe hy daarvan vir persoonlike gewin aangewend het. Maar hy sal borgtog kry. Waarskynlik ook wegkom met 'n boete en 'n opgeskorte vonnis."

Anja bly vir 'n lang ruk stil. Willem weet nie wat om te sê nie. Maar hy het 'n onverklaarbare drang om haar vas te hou. Shit! Die vroumens is besig om met sy kop te smokkel.

"Wat gaan van haar word?"

Vir 'n oomblik weet Willem nie van wie sy praat nie. Dan besef hy dit moet die kind wees.

"Weet nie. John sal seker na haar kyk as hy uitkom. Sy's op Worcester in die skool vir dowes. Gehoorprobleem. Daar's darem 'n skoolhoof wat lyk of hy sal help. Hy en Michelle, ek bedoel Sanet, was ernstig voor sy gevang is."

Anja snuif. O hel, sy moet net nie begin huil nie. Sy staan op.

"Ek kry nog koffie." Haar stem klink bewerig.

Voor hy homself kan keer, staan Willem en trek haar vas teen hom.

"Ek voel so stupid, Willem," snik sy teen sy skouer.

"Dis g'n stupid nie. Dis hy wat die donner was." Willem is sommer van voor af die hel in vir John. Toe Anja effens wegtrek, sit hy sy hand onder haar ken en draai haar gesig na hom toe.

"Almal maak foute. Vergeet van hom."

"Dankie dat jy gekom het."

Willem sit sy hand agter haar kop en druk sy lippe op

hare. Sy soen is ru. O shit, wat doen hy! Haar asem jaag toe hy haar los.

"Willem . . ."

"Sorry, Anja." Hy kyk weg, dan weer vir haar. "Dis net . . . Ek dink ek het die verkeerde een op Badplaas raakgesien." Hy wens hy weet wat sy dink.

Anja byt haar onderlip en glimlag dan. "Dan sal ons eers van jou vermoede moet seker maak. Jy mag dalk 'n PI wees, maar ek laat my nie twee keer met 'n slap riem vang nie!"

Willem kan sy smile nie keer nie. Toe hy haar weer teen hom vastrek, is haar lyf warm teen syne.

Bedankings

Daar is ongetwyfeld twee persone sonder wie se bystand hierdie werk nie moontlik sou wees het nie: my redakteur, Madri Victor, en Deon Meyer.

Madri: Woorde van dank vir jou ondersteuning, skryfleiding, kritiek, raad, afronding en vele meer, het ek nie. Jy is ongetwyfeld die persoon wat die grootste bydrae gelewer het om die publikasie van hierdie werk moontlik te maak. Duisende dankies daarvoor.

Deon: Baie dankie vir die tyd wat jy aan my afgestaan het toe ek aan hierdie manuskrip begin werk het. Jou insette, aanmoediging en studiemateriaal het my aan die gang gekry en rigting gegee toe ek niks geweet het nie.

Ander persone wie ek graag wil noem, is Frans van den Berg, Johan en Janet Ferreira, kolonel Kobus Jonker, Linda, Mattie, Nelda Els, Peet, René Pretorius. Baie dankie vir die geduldige proeflees en goeie insette.